EDGAR ANDREW COLLARD

Montréal du temps jadis

traduction de Francine de Lorimier

dessins de John Collins

Collection
dirigée par
Robert Guy Scully

Maquette de la couverture: Gilles Robert et Associés, Montréal
Dessin de la couverture: John Collins

Publié par Doubleday, de New York, sous le titre:
"Montreal, the Days that Are No More"

Dépôts légaux: 2e trimestre 1981
Bibliothèque nationale du Québec
Bibliothèque nationale du Canada

ISBN: 0-7773-5512-4 Imprimé au Canada

LES ÉDITIONS HÉRITAGE
300, rue Arran
Saint-Lambert, Québec J4R 1K5
(514) 672-6710

À mon épouse Elizabeth,
pour le bonheur
de tant d'années

NOTE

Certaines citations à caractère historique (documents, correspondance, mots célèbres) ont été puisées par l'auteur à des sources anglaises. Lorsqu'il s'agissait de textes originaux britanniques ou américains, nous avons traduit sans plus. Dans le cas des citations d'origine française, toutefois, là où l'original a pu être retracé, nous l'avons cité tel quel, en ne modifiant que l'orthographe. Dans les autres cas, nous avons retraduit en français contemporain la traduction anglaise telle que citée par l'auteur.

F. de L.

AVANT-PROPOS

Voici un livre fait de « petites choses »: l'histoire de quelques milles carrés. C'est de l'histoire locale; ce qu'on nomme en français de la « petite histoire ».

Il y a plusieurs espèces d'histoire. Certes, l'espèce la plus analytique, qui fonde ses conclusions sur des tendances générales et des mouvements, est nécessaire et fort importante. Toutefois, la généralisation entraîne inévitablement une perte. L'on perd surtout le sentiment que l'histoire est une expérience vécue. Car le vécu se situe dans l'actualité immédiate. On ne vit pas une abstraction, une théorie, une généralité. L'expérience se trouve dans le moment vécu, dans le lieu connu. Et l'expérience à elle seule n'est pas peu de chose. Elle est la vie même.

Je ne pourrai jamais oublier une conférence que donnait Stephen Leacock devant la *Canadian Historical Association*. Leacock disait: « Encourager ce qu'on pourrait appeler la petite histoire, voilà une des tâches auxquelles cette association devrait porter une attention toute spéciale. »

Il poursuivit alors en évoquant son expérience personnelle. Enfant, sur une ferme d'Ontario, il avait appris à considérer l'histoire comme un récit sur la Grèce et Rome, ou sur les guerres de Napoléon. Il ne se rendait pas compte que la vieille tombe sous les broussailles, au pied de sa ferme, c'était de l'histoire. Il ne lui vint jamais à l'esprit que cette vieille tombe évoquait une époque (celle des premiers temps de la colonisation) où il n'y avait pas de cimetière religieux, et où chacun devait enterrer ses propres morts.

« Cinquante ans se sont écoulés depuis le moment dont je parle, précisa-t-il, et mon point de vue a changé. Je prise tout autant les grandes épopées historiques d'un Macaulay ou d'un Gibbon. Mais quant à moi, je me sens de plus en plus attiré par le charme et le sens de la petite histoire. Qui a vécu là en premier? Qui fut le premier à poser les pierres qui soutenaient la simple charpente de cette cabane en rondins? Comment ces premiers arrivants ressentaient-ils la vie? De telles interrogations et de telles réflexions (...) ont de quoi captiver et intéresser un esprit curieux. Car après tout, la vie de l'individu, lorsqu'elle atteint muettement sa fin, comporte le même mystère infini et la même signification insondable que la vie d'une nation. »

J'ai souvent songé à ces paroles de Stephen Leacock en me promenant dans Montréal. Des rues et des carrefours d'apparence banale, les pierres noircies de vieux édifices à demi dissimulés ont pris un sens neuf depuis que je sais ce qui s'y est passé jadis.

Je ne franchis jamais l'intersection des rues Notre-Dame et McGill sans me rappeler la Porte des Récollets qui s'y trouvait et qu'empruntèrent les armées de la Révolution américaine, prenant possession de Montréal un jour de novembre 1775 où « les rues étaient engourdies de froid. »

De même, il m'est impossible de déambuler le long de la rue Sherbrooke, près de la rue du Fort, sans jeter un regard sur une des tours de pierre parmi les arbres, par-delà la muraille du Séminaire; car je sais que deux Indiens gisent emmurés dans cette tour, deux Indiens convertis à la mission que les Sulpiciens avaient fondée au flanc de la montagne, au dix-septième siècle.

Au bord de l'eau, à la Pointe-du-Moulin, je sais que je me trouve sur le site où se déroulaient les duels près de l'ancien moulin; et au bord du canal Lachine, je me trouve sur le rivage où les pelletiers mettaient chaque printemps leurs canots à l'eau, en vue du long voyage vers le Nord-Ouest.

Si cette histoire des lieux, ce sentiment du vécu, sont capables de séduire, c'est bien parce qu'ils évoquent le mystère de l'existence, et ce que l'on a fort justement appelé « la poésie du temps ». L'historien anglais George Macaulay Trevelyan l'exprimait ainsi: « En dernière analyse, l'attrait de l'histoire, pour nous tous, est d'ordre poétique. Toutefois, la poésie de l'histoire n'est pas faite d'imagination en liberté, mais d'imagination en quête de faits, qu'elle enserre. »

Et les faits qui en disent le plus long sont ceux qui découlent de l'expérience vécue, de ce qui s'est passé dans un lieu précis, à un moment précis: ce qui s'est passé hier — l'aujourd'hui d'autrefois — et dans les lieux que nous habitons maintenant. Peu de villes ont une histoire plus riche que celle de Montréal, où la vie se déroule depuis des siècles sur les quelques milles carrés d'une île: île au carrefour de l'histoire d'un continent.

Pendant trente-deux ans, à chaque semaine, j'ai écrit un article sur l'histoire de Montréal pour la page éditoriale de la *Gazette*. La matière de ce livre est tirée en grande partie de ces 1,700 articles, quoiqu'ils aient été revus, augmentés et adaptés à la lumière de recherches ultérieures.

Je suis de ce fait très reconnaissant envers la *Gazette* et la *Southam Press Limited* de m'avoir aimablement permis d'utiliser ces textes, de même que les croquis de John Collins.

Edgar Andrew Collard

Première partie

Le Régime français

Angle Saint-Paul
et
Saint-Dizier

— I —

Fiancées d'outre-mer:

Les filles du roy

On les appelait « filles du roy ». Et c'était le roi Louis XIV qui les avait envoyées en Nouvelle-France. Les colons demandaient des épouses: le roi y pourvut. Entre 1665 et 1673, presque mille d'entre elles arrivèrent.

À Montréal comme à Québec, il fallait loger et nourrir ces filles venues de France, jusqu'à ce que les jeunes colons aient pu arrêter leur choix. Marguerite Bourgeoys, fondatrice de la congrégation Notre-Dame, en hébergea plusieurs à sa maison de la rue Saint-Paul — cette même maison qui abritait son école et son noviciat. L'étable de pierre convertie en école avait été bâtie sur le site actuel du numéro 50 de la rue Saint-Paul, là où s'arrête la rue Saint-Dizier. L'un des convois de filles se révéla si important, que cet établissement ne put les accommoder toutes. Quelques-unes furent donc acheminées vers une maison avoisinante que Marguerite Bourgeoys avait achetée de Charly-Saint-Ange.

Louis XIV désirait voir s'accroître la population de Nouvelle-France sans pour autant dépeupler la France. La solution consistait à faire parvenir à la colonie un nombre suffisant de jeunes filles qui épouseraient les pionniers. La Nouvelle-France, par la suite, suffirait elle-même à l'accroissement de sa population.

L'Église approuva le projet. Une proportion élevée de célibataires dans une communauté rendait celle-ci difficile à surveiller et peu respectable. Les responsabilités du mariage et l'influence des épouses favoriseraient un modèle de vie sain, équilibré, orienté vers le travail. Pour conclure la plupart des dispositions concernant la sélection des filles du roi, Jean Talon, premier intendant de Nouvelle-France, correspondait régulièrement avec Jean-Baptiste Colbert, ministre français chargé notamment du développement de la colonie. Talon se représentait avec précision le type de fille requis. Elle serait assez forte pour travailler aux champs ou manifesterait, à tout le moins, des aptitudes au travail manuel. Elle serait aussi passablement agréable à regarder puisqu'après tout, elle serait choisie comme épouse. « En plus d'être robustes et saines, écrivait Talon, les filles destinées à ce pays devraient être exemptes de toute tare physique ou de tout ce qui, sur leur personne, pourrait inspirer de la répugnance. »

Ni une bonne santé ni une belle apparence ne suffiraient, cependant. Elles devraient également être pourvues d'un bon tempérament moral. Il n'y avait pas de place, dans la colonie, pour les filles de petite vertu. Sur ce point, Colbert et Talon se rallièrent. Le ministre soutenait « l'importance de semer le bon grain lors de l'établissement d'un pays. »

Le plan initial du roi visait à expédier en Nouvelle-France des filles déjà entretenues par l'État, (des orphelines surtout) gardées en institution à Paris. À première vue, ce plan paraissait idéal. D'une pierre, deux coups: la mère-patrie se soulageait d'abord des dépenses encourues pour l'entretien de ces filles, tout en leur offrant l'occasion de commencer de nouvelles vies dans la colonie. L'expérience démontra, toutefois, que le roi s'était fourvoyé. Les filles d'orphelinat, élevées dans l'air insalubre de Paris, ne purent endurer les rudes conditions de vie, l'incessant et dur labeur qu'exigeait la vie de pionnier.

On adopta une nouvelle stratégie. Des filles de la campagne seraient envoyées à leur place. En 1670, Colbert écrivait à l'Archevêque de Rouen: « Comme il pourrait se trouver cinquante ou soixante filles dans les paroisses voisines de Rouen qui seraient très heureuses de partir pour le Canada afin de se marier, je vous prie d'user de votre influence et de votre autorité auprès des curés de trente ou quarante de ces paroisses, afin qu'il soit décelé une ou deux filles en chacune d'elle qui soit disposée à partir de plein gré, en vue de s'établir pour la vie. »

Ce plan se révéla beaucoup plus efficace. On recruta des filles d'une bonne nature, bien portantes et honnêtes. Mais des mesures de précaution furent nécessaires pour assurer que ce convoi massif de femmes ne soit perçu comme une entreprise licencieuse ou libertine. L'émigration fut sévèrement contrôlée; les candidates, triées sur le volet. Un climat d'une gravité solennelle était de rigueur. Quelques filles d'un passé douteux réussirent malgré tout à se glisser sur les vaisseaux. Après que certaines d'entre elles se fussent mariées à des colons de Québec, on découvrit qu'elles avaient déjà pris mari en France. On mit fin à ce subterfuge. Colbert ordonna que toute fille joignant les rangs des filles du roi devait présenter un certificat attestant, de la main du curé ou du magistrat de sa paroisse, qu'elle pouvait se marier.

Au cours de la traversée de l'Atlantique, les filles furent accompagnées et surveillées par de respectables matrones, choisies pour leur piété et leur probité. Pieuse duègne et veuve du procureur-général de Nouvelle-France, Madame Jean Bourdon en était. Elle connut, parfois, des heures difficiles. Bien qu'elles aient été pour la plupart de bonne éducation, ces filles dans la fleur de leur jeunesse et formant des groupes fort nombreux, avaient l'humeur espiègle. Lors d'une traversée, la garde de 150 filles « ne fut pas sans peine pour elle » alors que certaines se montraient « très grossières et indisciplinées ».

Marguerite Bourgeoys savait beaucoup mieux les aborder. Mis à part son expérience et ses succès d'enseignante, elle avait déjà traversé l'océan avec un convoi de filles du roi, au retour d'une de ses visites en France. Elle était d'une humanité profonde; la répression l'intéressait moins que de donner sa conduite en exemple et d'influencer par le biais de la sympathie et de l'affection. Loin de percevoir l'arrivée des filles du roi comme une corvée, elle profitait de cette occasion pour leur témoigner de la bonté. Elle apprit qu'un nouveau convoi était sur le point de débarquer à Montréal: « Comme elles deviendraient mères de futures familles, écrivait-elle, je crus qu'il n'était que raisonnable de les regrouper en un lieu sûr et que, entre toutes, la maison de la Très-Sainte Vierge devait être ouverte à ses enfants. Forte de cette pensée, prenant tout juste le temps de consulter mes soeurs, je courus vers le rivage à la rencontre de ces filles pour les conduire à notre maison. Celle-ci étant trop petite pour toutes les accommoder, il fut donc nécessaire de les héberger à la petite maison achetée de Saint-Ange, où je dus demeurer pour leur donner une formation élémentaire. »

Alors qu'elle s'entourait des filles, Marguerite Bourgeoys ne se contentait pas de veiller sur elles ou de leur enseigner le catéchisme, mais voyait aussi à leur transmettre les rudiments des arts ménagers, tout en recevant en entrevue les jeunes hommes qui venaient chercher une compagne. On peut distinguer sa petite écriture ordonnée sur plus d'un contrat de mariage. Ces contrats portent souvent la mention du parloir de la Congrégation, où ils ont été rédigés.

La façon de procéder à Montréal s'apparentait à celle de Québec. Les filles du roi étaient tenues sous surveillance en un lieu désigné. Les jeunes hommes s'y rendaient pour se choisir une épouse mais passaient d'abord devant la directrice. Ils devaient lui déclarer leurs biens de même que leur moyen de subsistance. Une jeune fille pouvait refuser les avances d'un prétendant. Elle cherchait à savoir avant tout si le jeune homme possédait une ferme. Un notaire et un prêtre étaient toujours disponibles. Une fois le contrat de mariage rédigé et dûment signé en présence d'un témoin, la cérémonie sacramentelle commençait. Selon la vieille coutume française, une jeune mariée devait disposer d'une dot. Le roi ne négligea pas ce point. Chacune des filles du roi se voyait dotée d'un « don du roi ». Cela allait parfois jusqu'à une maison de ferme avec des provisions pour huit mois. Mais on s'en tenait le plus souvent à cinquante livres de fournitures domestiques, auxquelles on ajoutait un baril ou deux de viande salée.

Les célibataires n'épousaient pas toujours les filles du roi de leur propre chef. C'est la loi qui les en persuadait. En Nouvelle-France, le célibataire était mis au ban : en tant qu'ennemi public, personnage asocial et citoyen se soustrayant à son devoir. Dans ses instructions à Talon en 1668, Colbert se fit implacable : « Ceux qui sembleront avoir définitivement renoncé au mariage se verront affligés de fardeaux additionnels et seront exclus de tous les honneurs ; il serait même souhaitable d'ajouter certaines marques d'infamie. » Talon stipula des sanctions sévères à l'endroit des célibataires. Il leur fut interdit de chasser, pêcher ou de traiter avec les Indiens. Ils n'étaient pas plus autorisés, sous aucun prétexte, de se rendre dans les bois (pour prévenir, sans doute, qu'ils y cherchent l'occasion de brèves rencontres avec des Indiennes).

L'on jugera du sort réservé aux célibataires endurcis par le cas de François LeNoir, de Lachine. Il fut traîné devant les tribunaux. L'accusation: encore célibataire, il avait négocié avec les Indiens sous son toit. François LeNoir admit sa culpabilité mais il fit serment de se marier en deçà des trois semaines qui suivraient le prochain débarquement de filles du roi. S'il manquait à sa promesse, il devrait payer cent cinquante livres à l'Église de Montréal et une somme équivalente à l'hôpital. En vertu de ce pacte, LeNoir put se remettre à marchander mais on lui interdisait toujours l'accès des bois. Dès l'arrivée des filles du roi, l'année suivante, il épousa Marie Magdeleine Charbonnier, de Paris.

Non content de promouvoir les mariages en Nouvelle-France par la distribution d'épouses aux colons, le roi-soleil encourageait aussi fort concrètement les familles nombreuses. Son échelle de primes à la natalité était généreuse malgré les exigeantes conditions d'éligibilité. Toute famille pionnière comptant dix enfants vivants, nés d'union légitime (exception faite d'un enfant devenu prêtre ou membre de communauté religieuse) était éligible à une pension annuelle de 300 livres. Pour douze enfants, la pension s'élevait à 400 livres. La loi invitait en outre les parents de Nouvelle-France à marier leurs fils dès dix-huit ou dix-neuf ans et leurs filles, vers quatorze ou quinze ans. Le père qui ne répondait pas à cet appel, sans fournir d'explication valable, était sujet à une amende. Il devait par la suite se présenter devant les autorités tous les six mois pour justifier tout autre manquement à son devoir.

Cette exhortation publique à de prompts mariages porta des fruits extraordinaires. Vers 1672, à Montréal, une veuve fit proclamer les bans de sa prochaine union immédiatement après la mort de son mari. En temps normal, les bans d'un mariage devaient être annoncés trois fois; or dans ce cas, la veuve fut dispensée des deux autres proclamations, si bien que « son second mariage fut organisé puis célébré avant même que le premier mari ne fut mis en terre. »

La somme promise par l'État pour récompenser les mariages hâtifs et les naissances répétées s'avéra un appât efficace. C'est en grande partie grâce à ces politiques que la population de Nouvelle-France se multiplia par plus de deux entre 1666 et 1676.

Par sa compassion, le personnage de Marguerite Bourgeoys ressort grandi de l'épisode des filles du roi. Il semble que les filles ne l'aient jamais considérée comme une gardienne, une matrone ou une duègne, en somme, quelqu'un qui les eût réprimées ou intimidées. Elle était leur amie, faisant tout en son pouvoir pour les comprendre et les aider. Lorsqu'elles quittaient sa maison de la rue Saint-Paul pour fonder leur propre foyer, elles partaient avec de l'admiration pour elle. Elles revenaient souvent lui rendre visite et lui demander conseil.

Parmi les filles du roi se trouvaient plusieurs très jeunes enfants, à peine âgées de seize ans. Elles avaient quitté leur famille en France pour un long et périlleux voyage en mer; puis on les avait fait parader et, suite à de brèves fréquentations, elles s'étaient hâtivement mariées. Elles durent composer brusquement avec un nouveau mode de vie. Marguerite Bourgeoys remplaça leur mère dans cet étrange et âpre pays.

John Collins
Le Séminaire
Saint-Sulpice

— II —

L'homme fort de Saint-Sulpice:

Dollier de Casson

L'abbé Dollier de Casson, supérieur des Sulpiciens à Montréal, était doué d'une telle force qu'il pouvait soulever deux hommes à la fois, un dans chaque main. Sa prestance en imposait. « Voilà un homme ! » admettaient les Indiens, admiratifs.

Aussi les indigènes avaient-ils de bonnes raisons de le respecter en sa qualité de prêtre. Il n'était pas missionnaire à se laisser bafouer. Une nuit d'hiver, en mission sur les rives de la baie de Quinté, il s'était agenouillé pour prier. Un jeune Indien l'accablait de ses plaisanteries obscènes. Dollier de Casson ne prit même pas la peine de se relever. Il projeta son bras droit... et envoya l'Indien s'étendre par terre, de tout son long. Le missionnaire termina son oraison. Personne ne vint l'interrompre.

C'est ce colosse d'homme qui construisit le Séminaire sulpicien de Montréal, l'ancien manoir de pierre situé rue Notre-Dame, sur la Place d'Armes, à l'ouest de l'église Notre-Dame. Il en engagea la construction vers 1680 et les Sulpiciens l'occupèrent pour la première fois quelque cinq années plus tard. On lui ajouta ensuite des annexes, au cours du dix-huitième siècle surtout. Mais l'édifice primitif, oeuvre de Dollier de Casson, est toujours là. C'est le bâtiment le plus ancien de Montréal et l'un des plus anciens d'Amérique du Nord. Presque trois siècles plus tard, il sert toujours aux mêmes fins qu'à son origine.

D'une certaine manière, la construction du séminaire se révéla typique de Dollier de Casson. C'était un homme résolu; il prenait ses décisions seul et les appliquait sans hésiter. Selon lui, les Sulpiciens de Montréal étaient fort mal logés. Ils méritaient un nouvel établissement mieux adapté à leurs besoins, digne de leur charge de Seigneurs de l'île de Montréal. Il est vrai que les Sulpiciens étaient dirigés depuis Paris. Toute décision importante devait d'abord y être approuvée par le Supérieur général. Or bien souvent, au dix-septième siècle, entre l'envoi d'une requête à Paris et la réception d'une réponse à Montréal, il fallait compter une année complète.

À titre de supérieur des Sulpiciens à Montréal, Dollier de Casson n'avait guère la patience de progresser à ce rythme. Il préférait agir de sa propre initiative: il avait une façon personnelle d'exécuter d'abord et de chercher l'approbation ensuite. C'est dans cet état d'esprit indépendant qu'il entreprit la construction du séminaire de la Place d'Armes. Des lettres de Paris protestèrent avec véhémence. Elles accusaient Dollier de Casson d'affliger les Sulpiciens de dettes gênantes. On l'engageait à faire preuve d'un meilleur sens de l'économie.

Même si les Sulpiciens de la maison mère de Paris avaient souvent raison de désapprouver des décisions impulsives de l'Abbé de Casson à Montréal, ils n'en demeuraient pas moins convaincus qu'il était l'homme tout indiqué pour le poste. Il avait été affecté à une tâche difficile. La population de Montréal croissait sans cesse, mais elle se composait surtout d'éléments hétérogènes, en perpétuelle mutation. C'était une communauté faite non seulement de pionniers, mais de nomades: pelletiers et voyageurs, Indiens et soldats, aventuriers de tout acabit. C'était aussi un lieu de controverse: querelles au sein des différents ordres religieux, comme parmi les impérieux représentants du roi. Le supérieur de Saint-Sulpice à Montréal se devait d'être énergique, dévoué et fervent, mais il devait posséder par surcroît une connaissance des usages du monde. La gestion des affaires sulpiciennes, la défense de leurs droits, de même que de leur oeuvre missionnaire, exigeaient un zèle bien dosé, un sens pratique, et la capacité de présenter une figure digne et affable, tout à la fois.

Dollier de Casson réunissait toutes ces dispositions complexes. Il détenait aussi l'avantage exceptionnel d'avoir été militaire avant d'être devenu prêtre. En France, il avait servi comme capitaine sous les ordres du fameux Maréchal de Turenne. Ce chef avait maintes fois loué son audace et son courage en situation de péril.

En tant que supérieur des Sulpiciens, l'Abbé fut, à une occasion précise, un modèle de fougue et de fermeté martiales. C'était au soir de la Pentecôte, en 1671; les Vêpres avaient été dites; les cloches du salut rituel n'avaient pas encore sonné. Le bruit courait qu'une rixe terrible avait éclaté dans la rue. Dollier de Casson accourut immédiatement. M. de Frémont, curé de la paroisse, le suivit. Ils trouvèrent deux hommes qui se débattaient, engagés dans une lutte corps à corps; la tête de l'un d'eux ruisselait de sang. Un petit attroupement passif assistait au spectacle.

Le combat se déroulait depuis quelque temps déjà. Il avait commencé lorsque le Sieur de Lormeau, en promenade avec sa femme, rencontra le Sieur de Carion. Tous deux étaient officiers militaires: Lormeau était enseigne et Carion, lieutenant. Ils se détestaient et s'étaient déjà querellés. Ce soir de Pentecôte, de Carion insulta de Lormeau comme ils se croisaient, lui lançant avec venin: « Lâche! » — « Lâche vous-même! rétorqua de Lormeau, Disparaissez! »

La bataille était engagée. Le Sieur de Carion dégaina son épée; le Sieur de Lormeau fit de même. Leurs épées s'entrechoquèrent trois ou quatre fois. Puis les deux hommes se rapprochèrent pour s'assener le coup de grâce. La haine les tenaillait, ils avaient soif de sang. De Carion saisit son épée par la lame, comme un poignard. Il tenta d'en enfoncer la pointe dans l'estomac de son adversaire. De Lormeau perdit sa perruque. La vue de son crâne chauve inspira une autre idée à de Carion. Il empoigna son épée par la garde cette fois et en fracassa le pommeau, à coups répétés, sur le crâne découvert de sa victime. Le sang gicla.

Terrifiée, Madame de Lormeau courut chercher du secours. Elle s'élança vers la résidence voisine, chez Charles LeMoyne. Ce soir-là, M. LeMoyne recevait deux convives à dîner: Picoté de Belestre, et un marchand de La Rochelle nommé Baston. Ces messieurs furent saisis par la brusque irruption de Madame de Lormeau. « Au meurtre! Au meurtre!, clama-t-elle, Sortez, M. de Belestre, sortez! » Tous trois bondirent de table. Dans la rue, ils aperçurent l'horrible corps à corps. Ensemble, ils essayèrent de séparer les ennemis. Tout à leur haine, les ennemis ne voulaient pas bouger. Picoté de Belestre recula, pantelant et dégoûté: « Puisque c'est ainsi, eh bien, allez-y, entre-tuez-vous, si c'est ce que vous voulez ! » Un serviteur du sieur de Carion parut avec une épée. Il la brandit mais s'abstint de frapper. Puis, un des amis du Sieur (ils étaient du même régiment) se portant à son secours, donna un coup d'épée vers de Lormeau. Charles LeMoyne protesta.

C'est à ce moment précis qu'intervint Dollier de Casson. Tout se transforma dès son arrivée. Bravant les épées et ne demandant aucune assistance, il posa ses deux grandes mains sur les antagonistes, les arrachant l'un à l'autre. Puis, il leur fit face, sorte de pacificateur religieux.

De tempérament héroïque, Dollier de Casson n'en perdait pas le bon sens pour autant. Il savait qu'à certains moments le courage ne servait à rien. Un jour qu'il combattait dans l'armée française, son régiment subit l'assaut des batteries ennemies. Tout à coup, il aperçut un artilleur du camp adverse sur le point d'allumer la mèche d'un canon pointé vers lui. En tant qu'officier, Dollier de Casson devait donner l'exemple aux hommes sous ses ordres. Le protocole militaire de l'époque était inflexible. Un officier sur la ligne de feu ne devait pas s'enfuir ; il ne devait pas commettre l'ignominie de se jeter par terre. Pourtant, Dollier de Casson ne goûtait pas particulièrement l'idée de se laisser décapiter sans broncher. Il sortit immédiatement un mouchoir et le laissa tomber à ses pieds. Il s'inclina très bas pour le ramasser. Le boulet siffla au-dessus de sa tête. Il sauva à la fois son honneur et sa vie.

Après qu'il eût complété ses études en préparation du sacerdoce chez les Messieurs de Saint-Sulpice à Paris, Dollier de Casson fut tout de suite choisi pour la mission du Canada ; car peu de jeunes prêtres avaient accumulé tant d'expériences utiles face aux dures réalités de la vie. À peine établi au Canada, on le nommait déjà aumônier militaire, au cours de la guerre contre les Iroquois. Plus tard, il partit avec LaSalle en expédition au lac Érié, région qu'il revendiqua au nom du roi. Il était parti avec LaSalle recruter des tribus indiennes pour son oeuvre missionnaire. Celui qui avait pris part aux controverses de son temps connut, dans la forêt solitaire, un sursis de paix spirituelle: « Je préférerais mourir au coeur de la forêt, disait-il, en accord avec la Volonté de Dieu, ainsi que je crois l'être, plutôt que parmi tous mes frères du Séminaire de Saint-Sulpice. » Mais il ne devait pas se consacrer exclusivement à l'action missionnaire dans la brousse. On le rappela sous peu. En 1671, il fut nommé Supérieur de Saint-Sulpice à Montréal.

Aucun supérieur ne manifesta plus de dynamisme. En plus de voir aux affaires quotidiennes des Sulpiciens, il instigua une série de projets. Il fonda, Place d'Armes, la première église Notre-Dame, qui servit jusqu'à l'inauguration de l'actuelle, en 1829. Après l'église, il construisit le séminaire, à proximité. Les Sulpiciens étant alors Seigneurs et administrateurs de l'île, il parraina des projets tant séculiers qu'ecclésiastiques. Il commença les travaux d'excavation du premier canal de Lachine, afin que l'on pût contourner les rapides. Il semble qu'il en ait complété plus de la moitié. Ce sont les sévères remontrances de ses supérieurs à Paris, quant au coût des travaux, qui les lui firent abandonner. Dollier de Casson fut aussi le premier planificateur de la ville. C'est lui qui décida du tracé des dix premières rues, avec l'aide du notaire et arpenteur-géomètre, Bénigne Basset. Il jalonna de balises et nomma les rues Notre-Dame, Saint-Paul et Saint-Jacques, ainsi que des rues transversales telles que Saint-Joseph (aujourd'hui Saint-Sulpice), Saint-Pierre, Saint-François (plus tard Saint-François-Xavier) et Saint-Gabriel. Dans certains cas (celui de la rue Saint-Paul entre autres), l'Abbé suivait la piste d'anciens sentiers qu'il définissait avec plus de netteté et qu'il baptisait ensuite. Il enjoignit la population à respecter son plan. Il découragea, par exemple, les tentatives de quelques colons qui cherchaient à faire modifier le tracé original des routes afin de cultiver leurs récoltes sur le terrain qu'elles recouvraient.

Le talent et la vitalité de Dollier de Casson trouvèrent encore une autre forme d'expression : la rédaction de la première histoire de Montréal. Elle fut probablement écrite à l'hiver de 1672-73. À cette époque, Montréal n'avait qu'environ trente ans. Par le témoignage des premiers arrivants, il apprit ce que furent les débuts de la colonie. S'il n'avait pas transcrit cette tradition vivante, plusieurs détails biographiques concernant de Maisonneuve, Jeanne Mance, Marguerite Bourgeoys, et le militaire Lambert Closse, ne nous seraient jamais parvenus.

Aussi, l'homme se profile-t-il derrière l'historien. Tel un vieux soldat, il écrit avec verve et perspicacité sur les escarmouches avec les Iroquois. Compréhensif et d'un bon naturel, il relève sur un ton amusé les cocasseries de la nature humaine. Ainsi, l'anecdote au sujet de Madame Primot l'avait ravi. Les Iroquois l'avaient assaillie. Elle n'avait pour seules armes que ses pieds et ses mains. L'un d'eux se jeta sur elle pour lui prendre son scalp. Dollier de Casson mentionne qu'elle « saisit ce cruel si énergiquement, par un endroit que la pudeur nous interdit de nommer, qu'il ne put se dégager. » Il dut lui assener un coup sur la tête pour qu'elle perde connaissance.

Entre temps, des colons français étaient accourus à sa rescousse. Les Iroquois prirent la fuite. Lorsqu'un des sauveurs la souleva dans ses bras, elle lui appliqua une retentissante taloche dès qu'elle eût repris ses esprits. « Qu'est-ce que vous faites? », demandèrent les autres. « Cet homme ne cherchait qu'à vous exprimer son sentiment d'amitié sans penser à mal. Pourquoi le frappez-vous? » Elle répondit: « Je croyais qu'il me voulait baiser. »

Dollier de Casson prend plaisir à ce quiproquo mais il se hâte d'y ajouter un pieux commentaire: « Les profondes racines que jette la Vertu lorsqu'elle se plaît dans un coeur est chose étonnante. »

Il mourut en 1701, au séminaire qu'il avait construit, Place d'Armes. L'oraison funèbre évoqua sa « conversation aisée et aimable » et sa façon de « toucher les coeurs sans artifice, ni affectation ». Son autorité avait été telle « que personne ne pouvait y résister ».

John Collins
Notre-Dame
-de-
Montréal

— III —

Le chef qu'on appelait «le Rat»:

Kondiaronk

On l'appelait «le Rat». C'était Kondiaronk, un chef huron. Pourtant il était bien plus: il comptait parmi les plus grands chefs indiens. Il manipulait le cours de l'histoire selon des manoeuvres bien personnelles. Les autres tribus indiennes, les gouverneurs français, même les colonies anglaises du sud: tous étaient affectés par ses moindres faits et gestes. Il mourut à Montréal, dans une atmosphère de sombre grandeur. D'un pittoresque sans pareil, son inhumation dans la première église Notre-Dame de la Place d'Armes se déroula sous le signe d'une affliction singulièrement unanime.

Kondiaronk savait être aussi astucieux, aussi furtif, aussi cruel qu'un rat. S'il y était provoqué, il pouvait infliger des plaies douloureuses. Mais associé à de grands desseins diplomatiques, il devenait un homme politique éclairé. Il semblait bénéficier d'un esprit plus vif, plus perçant que les autres.

À titre de gouverneur de la Nouvelle-France, Frontenac invita souvent le Rat à sa table. Il voulait donner à ses officiers le plaisir d'entendre la prompte repartie du chef. On le provoquait délibérément au cours de la conversation. Ses ripostes étaient «toujours vivaces, pleines de finesse, et généralement sans réplique.»

L'historien français LeRoy de LaPotherie l'avait connu. Il écrivait: « Rares étaient les esprits aussi pénétrants que le sien, et s'il était né Français, il eut été le genre d'homme à manier les affaires les plus délicates d'un État florissant. » L'hommage de l'historien jésuite, le père Pierre-François de Charlevoix, est de même venue: « L'on s'accordait à dire qu'aucun Indien n'avait possédé plus grand mérite, intelligence plus subtile, plus de valeur, de prudence ou de discernement dans sa compréhension de ceux avec lesquels il devait traiter. »

Le Rat était le chef des Hurons dans la région de Michilimackinac, près des lacs Huron et Michigan. Les principaux ennemis de son peuple étaient les Iroquois, de loin plus puissants. Le salut des siens reposait sur la guerre entre Iroquois et Français. Tant que les Iroquois s'acharneraient sur les Français, les Hurons échapperaient à l'anéantissement. Si les Iroquois et les Français faisaient la paix, les Iroquois auraient alors tout le loisir de se retourner contre les Hurons. Et ces derniers risquaient d'être anéantis.

Les Français avaient besoin d'alliés. Le Rat s'engagea à les appuyer à une seule condition: ne pas interrompre la guerre avant que les Iroquois ne soient exterminés. Le gouverneur de l'époque, le marquis de Denonville, consentit. Afin d'exercer son rôle au sein de cette alliance, le Rat convoqua un conseil de guerre contre les Iroquois. Accompagné d'un peloton de Hurons d'élite, il entendait « se distinguer par quelque brillant exploit ». Il visita le fort Frontenac (aujourd'hui Kingston) où il apprit une nouvelle qui le renversa. Un commandant français lui confia que Denonville s'occupait activement à la négociation d'un traité de paix avec les Iroquois. Le Gouverneur se trouvait même à Montréal, à ce moment-là, attendant les délégués des nations iroquoises.

Le Rat se rendit compte que le gouverneur Denonville l'avait trahi. Mais il fit preuve d'une parfaite impassibilité indienne — et ne laissa paraître ni surprise, ni colère. « Cela est bien », dit-il au commandant du fort Frontenac. Il élabora sur-le-champ une stratégie personnelle en vue de saboter ces négociations franco-iroquoises. Il s'apprêta à prendre en embuscade les ambassadeurs de paix iroquois en route vers Montréal. Il fondit sur eux, massacrant les uns et s'emparant des autres. Il dit ensuite à ses prisonniers que les Français lui avaient demandé de leur tendre ce guet-apens. Les Iroquois protestèrent. Ils déclarèrent être des émissaires en route vers une conférence de paix avec les Français. Le Rat feignit aussitôt la stupeur, l'horreur, le courroux. Le gouverneur Denonville, s'écria-t-il, s'était donc servi de lui pour dresser ce piège contre les délégués iroquois; il avait été l'instrument de la perfidie du Gouverneur.

Sans plus tarder, il relâcha ses prisonniers, les comblant de cadeaux. « Allez, mes frères, s'exclama-t-il, retournez à votre peuple. Le Gouverneur m'a fait commettre un crime si vil, que je ne goûterai plus le repos avant que vos cinq tribus ne prennent leur juste revanche sur lui. » Il ne retint qu'un Iroquois. C'était une coutume indienne: l'un des Hurons ayant été tué lors de l'escarmouche, les Iroquois livrèrent l'un de leurs guerriers.

Kondiaronk procéda ensuite à la seconde étape de son complot. En toute hâte, il se dirigea vers le fort français à Michilimackinac. Le commandant de ce poste reculé n'avait pas été informé que le Gouverneur négociait un traité de paix avec les Iroquois. Il croyait que la vieille guerre se poursuivait. Le Rat profita de son ignorance pour dénoncer son prisonnier iroquois comme un espion. L'Indien tenta d'expliquer qu'il n'en était rien, qu'il était membre d'une délégation de paix. Le Rat insinua qu'il devait être fou. Le commandant appela le peloton d'exécution et fit fusiller le suspect. Mettant la main sur un autre Iroquois, un vieillard longtemps tenu captif à Michilimackinac, le Rat le libéra, l'enjoignant de courir avertir son peuple de ce dont il avait été témoin au fort: que les Français exécutaient les Iroquois au moment même où ils prétendaient se réconcilier avec eux.

Le gouverneur Denonville dut se débattre dans l'inextricable réseau d'ennuis que lui avait tissé le Rat. Il fit de son mieux pour démontrer aux Iroquois qu'il n'avait, en aucune façon, prit part à l'attaque perpétrée contre leur ambassade de paix, ni à l'exécution de l'Iroquois au fort, à Michilimackinac. Mais au milieu des délicates tractations de paix, alors qu'il tentait de rendre ses explications convaincantes, le Gouverneur se retrouva en mauvaise posture. Il était confronté à d'autres problèmes. Plusieurs Iroquois s'étaient opposés à la paix avec les Français. Ils étaient maintenant enchantés de ce prétexte pour reprendre le sentier de guerre. En outre, le gouverneur de la colonie anglaise de New York, Sir Edmund Andros, faisait sans cesse pression sur les Iroquois afin qu'ils n'en n'arrivent pas à une entente avec les Français, et qu'ils demeurent les alliés des Anglais.

Le Rat touchait au but qu'il s'était fixé: il avait empêché la paix. Pendant un temps, les Iroquois n'adoptèrent aucune ligne de conduite. Puis, vint la nuit du 4 août 1689. Un violent orage, se transformant par moments en grêle, s'abattait sur l'île de Montréal. Les colons de Lachine, neuf milles à l'ouest de la ville, se réfugiaient dans leurs cabanes. Aucun d'entre eux ne s'aventurait dehors par un temps pareil. Village périphérique, Lachine était défendu par trois forts. Or, par une nuit aussi maussade, les sentinelles de la garnison s'étaient également mises à l'abri. La rumeur circulait à Montréal que les Iroquois pourraient reprendre le sentier de guerre, mais on en fit peu de cas. Le gouverneur Denonville se trouvait de passage à Montréal. Bon nombre d'officiers, venus des forts de l'île, étaient en ville pour le rencontrer. Personne ne se doutait de rien.

La même pluie diluvienne qui avait poussé pionniers et soldats à chercher refuge chez eux, au cours de cette nuit d'août, servit d'écran à 1,500 Iroquois pendant leur débarquement à Lachine. Ils tirèrent leurs canots sur le rivage. Passés inaperçus, ils s'infiltrèrent dans le village. Par bandes, ils cernèrent la plupart des maisons. Au signal donné, ils lancèrent leur cri de guerre. Les colons ne purent s'entraider. Dans chaque cabane assiégée, chaque colon avait son combat individuel à livrer. Certaines habitations furent envahies instantanément; les pionniers furent massacrés dans leurs lits. D'autres purent barricader leurs portes et affronter l'ennemi. Mais on mettait le feu aux maisons et dès que les colons étaient forcés d'en sortir, on s'emparait d'eux.

Rien ne pressait les Iroquois à partir. Les garnisons somnolaient toujours dans les trois forts de Lachine. Le tumulte de la tempête noyait cris et hurlements; la direction du vent emportait loin d'eux tous les bruits de la bataille. Les Indiens allumèrent des feux. La lente torture des victimes commençait. L'assaut avait été donné le 5 août, à l'aurore; le matin fut un carnaval de cruauté.

Lorsque Lachine fut de nouveau occupé par les Français, ceux-ci constatèrent ce qu'avaient fait les Iroquois. L'abbé de Belmont, Sulpicien, en témoigna. Il fit la description des restes carbonisés de femmes empalées sur des pieux, d'enfants grillés sur la braise ardente. Il vit les maisons en cendres, le carnage du bétail. Frontenac (de retour en Nouvelle-France, à titre de gouverneur, avant la fin de l'année) écrivit dans son rapport que les colons avaient été « écervelés, brûlés ou rôtis », certains avaient été « dévorés, tandis qu'on ouvrait les entrailles des femmes enceintes pour en arracher l'enfant, et d'autres atrocités de nature horrifiante et inouïe. »

Quand la rumeur du massacre de Lachine atteignit Montréal, on fit une sortie contre les Iroquois. Mais le marquis de Vaudreuil, commandant des forces de la colonie, retint les troupes. Le gouverneur Denonville lui avait ordonné de ne prendre aucun risque, et Vaudreuil suivit ses ordres à la lettre. On renonça à toute tentative sérieuse de chasser les Iroquois; la majorité des colons et des militaires se retirèrent dans les places-fortes. Pendant des semaines, les Iroquois furent presque libres de rôder sur l'île, pillant les habitations, capturant quiconque se trouvait sur leur chemin. Ils s'éloignèrent en octobre, tout à loisir, deux mois après le massacre. Comme leurs canots s'engageaient sur le lac Saint-Louis, ils poussèrent quatre-vingt-dix hurlements, signalant ainsi qu'ils emportaient avec eux quatre-vingt-dix prisonniers. À proximité des forts, ils crièrent: « Nous avons été trompés ! Maintenant, c'est vous qui êtes trompés ! »

Le Rat avait joué de sa ruse superbe. Il avait sauvé ses Hurons en détournant leurs ennemis iroquois d'une réconciliation avec les Français. Grâce à ses machinations, il avait amené Iroquois et Français à croire qu'ils s'étaient mutuellement abusés. Pourtant, le Rat n'était pas qu'un machiavel. Par ces intrigues, il avait accompli ce qui lui avait semblé essentiel à la survie de sa tribu. Mais par la suite, il se fit l'instigateur de solutions plus nobles. Il vint à préconiser un vaste plan de paix, non seulement entre Français et Iroquois (ce qui aurait menacé les autres tribus en laissant aux Iroquois la liberté de s'attaquer à elles), mais entre les Français et toutes les tribus, de même qu'entre toutes les tribus. Il prit part aux pourparlers pour ensuite assister à l'assemblée finale.

Cette grande conférence de paix, événement sans précédent, fut inaugurée à Montréal le 25 juillet 1701. Quelque 1,300 délégués indiens s'y rendirent. Ils venaient d'aussi loin que du Wisconsin, à l'ouest, ou que de l'Acadie, à l'est. Ils étaient accueillis par des feux de salve. On avait entassé des branches de conifère à leur intention, pour leurs wigwams. Entre temps, Denonville était parti; la colonie avait été dotée d'un nouveau gouverneur, Louis-Hector de Callières. Des semaines durant, il s'occupa à souhaiter la bienvenue aux délégations indiennes et à s'acquitter des rites élaborés qui précédaient la ratification d'une entente.

Le Rat fut le personnage dominant de toutes ces cérémonies.

Il ne participait pas simplement en qualité de chef des Hurons, mais se faisait aussi le porte-parole d'un bon nombre d'autres tribus. On n'aurait pu tenir ce conseil de paix sans lui; sans sa présence, il n'aurait eu aucune chance de succès. Dans ses notes d'histoire, le père Charlevoix écrit que le gouverneur de Callières avait fondé sur le Rat «son principal espoir de mener à bonne fin son grand dessein. Il lui était presque entièrement redevable pour... ce rassemblement, jusqu'ici inégalé, d'un si grand nombre de nations en vue d'un règlement pacifique.»

Puis, vint une crise. Il avait été convenu que toutes les tribus, en gage de bonne volonté et de bonne foi, rendraient les prisonniers qu'elles avaient pris. Par son influence, le Rat avait persuadé les tribus d'emmener les Iroquois qu'elles tenaient captifs. Par contraste, les Iroquois, eux, arrivèrent sans les hommes qu'ils avaient fait prisonniers. Le Rat fut déçu et humilié. Toute la conférence aurait pu, dès lors, s'effondrer.

Le moment vint où il dut s'adresser à l'assemblée. Il était gravement malade, souffrant de fièvre, trop faible pour se lever. On lui apporta un tabouret. Cela ne le soutenait pas suffisamment. Un large et confortable fauteuil fut offert, puis du vin; il préféra au vin du sirop de capillaire. Il reprit quelques forces et commença à parler. Tous étaient désireux de l'entendre et parce qu'il n'émettait qu'un filet de voix, on se rapprochait, prêtant attentivement l'oreille dans un silence respectueux.

Une fois de plus, le sort de la Nouvelle-France reposait entre les mains du Rat. Il se montra à la hauteur. Il décrivit «avec modestie et non sans dignité» les étapes qu'il avait franchies pour instaurer une paix durable entre toutes les nations. Il leur fit voir la nécessité d'une telle paix, les avantages qu'elle apporterait à chacune d'elles. Puis, se tournant vers le Gouverneur, il le conjura d'agir de façon à ce que personne ne puisse l'accuser d'avoir trompé sa confiance. Sa voix lui fit défaut. Il cessa de parler. Son auditoire, vaste et varié, l'applaudit. Toujours dans son fauteuil, il fut transporté à l'hôpital de l'Hôtel-Dieu. Le lendemain, au petit matin, il expira. Et il mourut en chrétien, faisant offrande de ses prières et recevant les sacrements. C'est un missionnaire jésuite, le père Étienne de Carheil, qui l'avait converti au christianisme. Quand le Rat lui-même prêchait, à Michilimackinac, on dit que ce n'était jamais «sans fruit».

La mort du Rat émut profondément toute l'assemblée. Des querelles mineures furent aplanies, les objectifs essentiels renforcés. Tous s'unirent pour rendre un dernier hommage au Rat. Les Français portèrent la dépouille depuis l'Hôtel-Dieu jusqu'à son wigwam. On l'étendit sur une peau de castor. Quoique chrétien, il fut exposé sur un lit de parade, entouré d'un étalage de présents offerts par les tribus indiennes. À ses côtés, en plus d'un fusil et d'une épée, on posa une casserole, pour qu'il en fît usage dans le monde des esprits. Les Iroquois, ses pires ennemis, vinrent lui témoigner leur respect. Ils défilèrent en cortège solennel. Soixante d'entre eux s'assirent sur le sol autour de la dépouille. L'un prit la parole proclamant ce jour «jour de douleur». Ils exécutèrent une cérémonie attristante, dont le but était d'envelopper le corps.

Le lendemain, le cortège funèbre revêtit l'étrange grandeur d'un amalgame de rites: ceux de la ville et ceux des terres sauvages. Le capitaine français le plus élevé en grade, Pierre de Saint-Ours, marcha en tête du convoi avec une escorte militaire de soixante soldats. Seize guerriers hurons suivirent, avançant quatre de front. Ils portaient des robes en cuir de castor; en signe de deuil, ils avaient peint leurs visages en noir et tenaient leurs armes à l'envers. Le clergé venait ensuite. Derrière lui, six chefs guerriers emportaient le corps. Le drap mortuaire était parsemé de fleurs. On y avait déposé un chapeau à plumes, un hausse-col et une épée. Les frères et les enfants de Kondiaronk marchaient à la suite de sa dépouille, suivis des chefs de tribus. L'épouse de l'intendant de Nouvelle-France, Madame de Champigny, était aussi présente, accompagnée de Vaudreuil, qui avait été nommé gouverneur de Montréal. Des officiers d'état-major terminaient la procession. Le service funèbre eut lieu à l'église Notre-Dame, Place d'Armes. Lorsqu'on eut enterré son corps dans la crypte, une décharge de mousquets retentit en son honneur.

Au cours des jours solennels qui suivirent ce décès, les pourparlers de l'alliance furent conclus. Dès lors, les Iroquois ne constituèrent plus une menace pour les Français ni un danger pour les autres peuples. Puisqu'ils avaient convenu de demeurer neutres face à n'importe quel conflit opposant la France et l'Angleterre, les Anglais d'Amérique du Nord perdaient du coup leurs alliés et l'un de leurs principaux moyens d'offensive et de défense. Les Français, jouissant de cette nouvelle sécurité, purent aussitôt étendre leur autorité dans l'ouest et le long du Mississippi.

L'on dit que personne, aujourd'hui, ne connaît l'emplacement précis des ossements du Rat. L'ancienne église Notre-Dame, où il fut inhumé en 1701, se dressait quelque peu au nord de l'église Notre-Dame actuelle. Elle empiétait sur la rue Notre-Dame et s'étendait jusqu'à la Place d'Armes. La première église fut démolie en 1830. Ce qui ne signifie pas que les restes du chef furent dispersés ou perdus. Ils furent plutôt recueillis et enterrés dans la nouvelle église. De nos jours, les os du Rat reposent quelque part sous le plancher de béton qui recouvre actuellement l'immense crypte de Notre-Dame.

Angle Saint-Laurent et Notre-Dame

— IV —

Prisonnière de Dieu :

Jeanne Le Ber

Le 5 août 1695, une étrange procession avançait par les rues de Montréal. C'était la procession la plus étrange que la ville eût jamais vue. Et nulle plus étrange n'a été vue depuis.

Jeune femme de trente-trois ans, Jeanne Le Ber quittait son domicile; sa famille était l'une des plus riches de Nouvelle-France. Jeanne se rendait à la chapelle du couvent de la Congrégation Notre-Dame, où elle pénétrerait dans une cellule située derrière l'autel. Là, Jeanne jurerait de vivre en réclusion pour la vie, s'imposant elle-même cette sentence.

Ce soir d'août, on avait chanté les vêpres à l'église paroissiale de la Place d'Armes, puis un cortège s'était formé et le clergé en prit la tête. Il chemina jusqu'à la résidence Le Ber, rue Saint-Paul, où Jeanne était en prière. Elle sortit, vêtue d'une longue tunique de laine cintrée d'une bande de tissu noir. Son père était à ses côtés. Il avait alors soixante et un ans, âge avancé pour l'époque, alors que l'espérance de vie était brève. On le comparait à Abraham ou à Jephté, car, à l'instar de ces personnages de la Bible, ne menait-il pas son enfant au sacrifice? Pourtant, la victime se rendait de son plein gré et même par son insistance. M. Le Ber l'accompagna par les rues de la ville, afin de témoigner publiquement son respect pour la décision de sa fille unique. Mais avant la fin de la cérémonie à la chapelle, l'angoisse s'emparant de lui, il dut rentrer précipitamment pour ne pas voir disparaître sa fille dans la cellule qui deviendrait son tombeau.

Un document signé par Dollier de Casson, supérieur des Sulpiciens à Montréal et vicaire-général du diocèse, décrit ce qui advint à la chapelle de la Congrégation Notre-Dame. Il y déclare qu'il désire recueillir les faits qui transmettront aux générations futures les circonstances de l'extraordinaire abnégation de cette jeune femme:

«Je déclare qu'au cinquième jour du mois d'août dernier, un vendredi, fête de Notre-Dame des Neiges, j'ai béni une petite chambre, avec sa porte et sa grille, pour Mademoiselle Le Ber... Je déclare qu'après cette bénédiction, que je prononçai en qualité de vicaire-général, devant le clergé de même que devant toutes les soeurs de la Congrégation et autres personnes du monde, je fis une courte exhortation qu'elle écouta à genoux, après quoi je la conduisis au dit petit appartement, dans lequel elle s'est enfermée sur-le-champ...» Au cours de la cérémonie, l'un des directeurs spirituels de Jeanne ne chercha pas à adoucir la réalité: Jeanne Le Ber devait se considérer déjà morte, c'est-à-dire morte au monde. «Vous êtes morte, lui dit-il, ensevelie dans votre solitude comme dans la tombe. Les morts ne parlent pas et l'on ne s'adresse pas à eux.»

La décision d'une jeune femme de s'isoler pour la vie, de vivre comme une morte, était d'autant plus remarquable qu'elle signifiait un renoncement considérable. Non seulement était-elle la fille de Jacques Le Ber, homme de grande fortune, mais elle avait une fortune en propre, son père lui ayant cédé une dot généreuse. Jeanne était vue comme l'un des meilleurs partis de Nouvelle-France. Elle était de plus aristocrate, car son père, ayant usé de sa richesse, avait obtenu ses lettres de noblesse auprès du roi Louis XIV.

Bien qu'ils aient été pieux, l'un comme l'autre, M. Jacques Le Ber et son épouse n'avaient pas reconnu, d'emblée, la profondeur des sentiments religieux de leur fille. Ils avaient commencé à la préparer à une vie mondaine et à la perspective du mariage. Un jour, sa mère lui fit présent d'un chapeau d'un style recherché, au goût du jour. Jeanne avoua qu'elle le porterait si on le lui demandait, en signe d'obéissance filiale, mais elle supplia sa mère de l'en dispenser. Dieu serait témoin qu'elle le porterait contre sa volonté. Elle parut bientôt aux réceptions mais continuait à observer une règle personnelle consistant à se retirer tous les jours, à heures fixes, pour prier et se remettre en présence de la Toute-Puissance divine.

De tels penchants n'étaient pas nouveaux. À peine âgée de cinq ou six ans, elle visitait assidûment sa marraine, Jeanne Mance, à l'Hôtel-Dieu. Elle avait également de longs entretiens d'ordre religieux avec la supérieure de cet hôpital, Mère Catherine Macé. L'intérêt qu'elle portait aux mystères de la religion, de même que l'originalité de ses réflexions, ne manquaient pas d'étonner les religieuses. Pendant trois ans, ses parents l'inscrirent pensionnaire au couvent des Ursulines à Québec, où enseignait sa tante. Son sérieux extrême fut remarqué aux offices religieux. Déjà, son retrait du monde s'amorçait. Lorsqu'on lui fit cadeau d'un coussin orné de diverses boucles de ruban, elle se mit à arracher ces décorations pour les jeter loin d'elle. Elle expliqua son geste en disant qu'elle détestait de telles vanités. Alors qu'elle fut choisie comme l'une des interprètes d'une pièce biblique au couvent, elle fut tellement horrifiée par la robe tape-à-l'oeil à revêtir, qu'elle éclata en sanglots.

De retour à Montréal, à mesure qu'elle vieillissait, ses tendances à la réserve, voire à l'introversion, s'affirmèrent de plus en plus. Les demandes en mariage lui répugnaient. Sous la protection de la Sainte Vierge, elle entendait présenter à Dieu son trésor le plus précieux: sa propre personne. Son dégoût de la vanité du monde atteignait la crise. Elle s'était rapprochée d'une jeune religieuse de la Congrégation Notre-Dame nommée Soeur Marie Charly. La mort subite de Marie mit fin à cette amitié. La vue du cadavre acheva de détacher Jeanne des consolations terrestres et fit désormais de Dieu sa seule réalité. C'est à ce moment qu'elle décida de se cloîtrer.

Elle consulta son directeur de conscience, l'Abbé François Séguenot. Il lui proposa une expérience de vie solitaire dont les voeux se limiteraient à un terme de cinq ans. Elle se confina donc dans une chambre de la maison paternelle et n'en sortit que pour ses exercices religieux. Elle s'imposa de manifester son humilité publiquement: elle porterait une simple robe grise et s'inclinerait profondément pour baiser le sol de l'église, durant la Consécration. Ayant peut-être senti qu'il y avait là quelque chose de trop ostentatoire, son directeur spirituel lui recommanda de ne plus assister à la grand-messe et de se rendre plutôt à la célébration plus matinale, à laquelle peu de fidèles assistaient.

Le style de sa vie recluse mêlait l'austérité aux privilèges de sa classe sociale. D'une part, elle s'infligeait les pénitences habituelles des zélés: le port d'un cilice de crin et l'auto-flagellation. Quant aux privilèges, notons qu'elle vivait sous le toit de son père; elle continuait de consommer de la viande (à laquelle un parfait dévot eût renoncé); elle disposait de sa fortune personnelle et vaquait à ses propres affaires; aussi avait-elle retenu les services d'une cousine, Anne Barroy, qui voyait aux tâches domestiques dans sa chambre et l'accompagnait dans ses allées et venues à l'église. Parfois, elle rompait sa solitude pour recevoir des visiteurs, presque toujours pour un motif religieux.

En dépit de ces compromis, il devint évident que ces cinq années de réclusion ne découlaient pas d'un problème émotif passager. Sa rupture des liens familiaux fut impressionnante. Ainsi, alors que sa mère agonisait, à l'automne de 1682, elle refusa de se rendre à son chevet, quoiqu'elle habitât sous le même toit. Elle ne le fit qu'après le décès, lui baisant la main et se retirant aussitôt. Lorsque les cinq années furent écoulées, et qu'elle fut libérée de ses voeux, elle s'excusa de la direction du ménage, auprès de son père devenu veuf. En outre, elle prononça sans tarder ses voeux perpétuels, choisissant de vivre en recluse pendant toute son existence. Elle continua d'habiter la maison de son père, dans les mêmes conditions qu'auparavant. Le détachement dont elle fit preuve lors de la maladie de sa mère se manifesta de nouveau à l'endroit de son frère, Jean Vincent, blessé au cours d'une échauffourée opposant Iroquois et Anglais près du Fort de Chambly, en 1691. Sur son lit de mort, il fut transporté chez lui. Jeanne ne voulut pas quitter sa chambre avant le décès. Elle vint alors aider à la toilette du défunt, pour ensuite s'esquiver dès qu'elle le put.

De toute évidence, donc, Jeanne Le Ber n'agissait pas par impulsion lorsqu'elle décida de s'enfermer dans l'oratoire contigu à l'autel de la chapelle de la Congrégation Notre-Dame. Sa vocation de recluse avait été longuement mise à l'épreuve alors qu'elle demeurait chez son père. Dollier de Casson (qui la mena à sa cellule lors de la cérémonie à la chapelle) souligna avec justesse qu'elle ne commençait pas là un nouveau mode de vie mais poursuivait la vocation de solitude « à laquelle elle s'est assujettie chez elle pendant la plus grande part de son existence, et surtout depuis les douze ou quinze dernières années. » Une entente légale détaillée, qu'elle rédigea de commun accord avec le Congrégation Notre-Dame, attestait également du caractère réfléchi de son geste. Le document fut préparé par le notaire Bénigne Basset; Dollier de Casson y apposa sa signature, à titre de témoin. L'acte prévoyait un échange de procédés. Pour sa part, Jeanne Le Ber ferait don d'une généreuse somme d'argent afin de faire construire et décorer une chapelle pour la Congrégation. De plus, elle remettrait une sorte de loyer à la communauté, s'élevant annuellement à soixante-quinze livres.

En retour, la Congrégation devait consentir à un certain nombre de conditions. Rien ne fut laissé au hasard; on précisa les moindres détails. Premièrement, la chapelle serait construite dans le style que Jeanne préférait. Elle serait la réplique la plus fidèle possible de la chapelle de Lorette, en Italie, chapelle qui, selon la tradition, aurait été la demeure de la Vierge Marie avant d'être miraculeusement transportée en Italie par des anges. Puis, Jeanne fit la description des aménagements dont elle aurait besoin. Immédiatement derrière l'autel, l'on ferait construire pour elle trois pièces superposées qui mesureraient toutes dix pieds sur douze pieds. Celle du rez-de-chaussée serait accessible par deux portes. L'une conduirait au jardin communautaire, l'autre à la chapelle. Une grille serait encastrée dans cette deuxième porte. À travers la grille, elle pourrait voir l'autel, se confesser et recevoir la Sainte Communion. La pièce au-dessus serait sa chambre à coucher. Elle disposerait le chevet de sa couchette en direction du Très-Saint-Sacrement de l'autel, dont seule une mince cloison la séparerait. La pièce du troisième étage serait destinée à l'exécution de petits travaux à l'aiguille pour les églises.

Elle ajouta d'autres clauses. Le Congrégation lui fournirait sa nourriture, ses vêtements et son bois de chauffage. Elle lui prêterait une dame de compagnie, chaque fois que Mlle Anne Barroy s'absenterait. Enfin, deux fois par jour, la communauté prierait à son intention. Elle serait admise en tant que membre de la communauté et porterait le nom de Soeur Le Ber. Néanmoins, elle ne serait pas tenue de suivre les règlements de la vie communautaire de l'ordre; elle mènerait sa propre vie, retirée.

Fondatrice de l'ordre, Marguerite Bourgeoys avait été, dès l'enfance de Jeanne, l'une des influences décisives de sa vie. Maintenant, elle accueillait la jeune femme dans son ordre. « J'étais ravie, écrivait-elle, lorsque Mademoiselle Le Ber fit son entrée dans notre maison... »

Il semble que Jeanne Le Ber n'ait jamais perdu conscience de son rang. Peu de vocations contemplatives furent conduites à une telle échelle. Toujours en possession de ses biens personnels, elle protégeait sa position privilégiée en distribuant des cadeaux, assez régulièrement, à la Congrégation, ainsi qu'à d'autres institutions religieuses. Ce n'est qu'à l'approche de sa mort qu'elle se défit du reste de sa fortune. Elle n'ignorait sans doute pas que le respect qu'elle inspirait à tous, l'Évêque inclus, découlait autant de son prestige social que de son exemplaire piété. Toutefois, elle reconnaissait peut-être aussi que l'éminence de son rang l'érigeait en modèle d'autant plus influent, et conférait à ses pénitences une autorité bienfaisante dont elles n'auraient pas joui autrement.

Jeanne interrompit parfois son régime d'isolement, le plus souvent pour que son influence se fasse sentir. Elle s'adressait à l'occasion aux religieuses pendant leur période de récréation, après le souper. Elle leur parlait derrière la grille de sa cellule. Mais dès que la cloche annonçait la fin de cette détente, elle se taisait sans même terminer le mot qu'elle avait commencé de prononcer. Monseigneur Saint-Vallier, évêque de Québec, vint la voir. Il se fit accompagner de deux Anglais, dont l'un était ministre du culte protestant. Le pasteur lui demanda ce qui l'avait incitée à adopter un mode de vie si contraignant. Elle pointa son doigt vers le Très-Saint-Sacrement, que l'on entrevoyait à travers le grillage de sa porte. Voilà, lui dit-elle, l'aimant qui l'avait attirée.

Jeanne Le Ber ne s'était pas complètement retranchée des activités du monde. On eut recours à elle durant la crise de 1711. Les Anglais se préparaient alors à attaquer la Nouvelle-France: une flotte remontait le Saint-Laurent vers Québec, tandis qu'une armée avançait, à pied, en direction de Montréal. Jeanne broda l'étendard que l'on devait porter à la bataille. D'un côté se trouvait l'image de la Vierge Marie, et de l'autre, un appel à la Foi, par l'intercession de Marie. L'abbé de Belmont bénit publiquement cette bannière, la qualifiant de symbole d'espérance. L'invasion tourna à la catastrophe. La flotte lancée à l'assaut de Québec fut dispersée et fit naufrage au cours d'une tempête. Apprenant la nouvelle, en route vers Montréal, les fantassins battirent en retraite. On prétendit que la bannière de Jeanne Le Ber avait sauvé la colonie. Se référant à Marie, l'étendard portait cette inscription: « Elle est terrible comme une armée rangée en bataille; sous sa protection, nous espérons vaincre nos ennemis. »

Lors des remous de 1711, Jeanne Le Ber composa aussi une prière. Elle est récitée depuis, quotidiennement, dans toutes les chapelles de la Congrégation: « Reine des Anges, Notre-Dame

Souveraine et notre Très Chère Mère, nous, vos filles, confions à Vos soins toutes nos maisons et tous nos biens. Nous savons que Vous ne permettrez pas à nos ennemis de nous persécuter, car nous sommes sous Votre protection, et plaçons notre confiance sans bornes en Vous. Ainsi soit-il. »

Même si Jeanne Le Ber ne perdit jamais son sentiment d'appartenance à l'aristocratie, et même si un certain goût du théâtre nuança son mode de vie, il est sûr que la rigueur de son austérité, au cours de ces vingt ans passés à la Congrégation, n'aurait pu être soutenue sans un zèle religieux ardent. À sa mort, ses habits étaient de telles loques qu'on ne voulut pas l'en revêtir, même dans son tombeau. Elle confectionnait elle-même ses bas, utilisant des retailles de laine rêche qui servaient à la confection de vêtements pour les pauvres. Ses chaussures, également de sa main, étaient faites de feuilles de maïs; ces feuilles étaient bon marché et assourdissaient ses pas, la nuit, quand elle marchait près de l'autel dans la chapelle déserte, libre de se recueillir seule devant le tabernacle. Elle dormait sur une paillasse et ne permettait à personne de la secouer, si bien qu'elle devint de plus en plus dure. Elle ne voulait pas se servir de draps. Bourré de paille, son oreiller était recouvert d'une étoffe des plus grossières. Elle avait les médicaments en aversion. Néanmoins, chaque fois qu'elle dut prendre des remèdes au goût désagréable, elle refusa de se rincer la bouche, afin d'en prolonger l'effet.

Quoiqu'elle eût fait percer une porte au rez-de-chaussée donnant sur la jardin des soeurs, il semble qu'elle ne soit jamais sortie au grand air ni même à ciel ouvert. Elle s'interdisait même, dit-on, de regarder par une fenêtre. Un père sulpicien écrivit que la sévérité de ses moeurs dépassait celle des premiers ermites car, non seulement ceux-ci profitaient-ils de leur jardin, mais ils se permettaient des promenades dans les bois. On se rendit compte de l'insalubrité de ses conditions de vie. Comme le notait ce Sulpicien: « L'air clos d'une pièce aussi petite aura été cause de nombre de ses infirmités. »

Cloîtrée dans sa cellule, derrière l'autel de la chapelle de la Congrégation, Jeanne Le Ber ne dissipa guère ses jours dans l'oisiveté; elle devait rendre compte de chaque heure. De Pâques à la Toussaint, elle se levait à quatre heures du matin; de la Toussaint à Pâques, à quatre heures trente. Après sa toilette, elle priait une heure. Puis, derrière la grille au rez-de-chaussée, elle entendait la messe, les bras en croix. De neuf heures à neuf heures et demie, elle s'adonnait à la lecture pieuse. De dix à onze, c'était l'heure d'oraison; après cela, elle méditait un chapitre du Nouveau Testament, et faisait son examen de conscience. À onze heures trente, elle dînait.

Ainsi se passait chaque matinée. Et les heures de l'après-midi étaient aussi bien réparties. À une heure, elle récitait les vêpres et les complies du Petit Office. Une demi-heure se passait ensuite en lecture pieuse. À quatre heures, une heure s'écoulait en oraison. À six heures, elle soupait, prenant ce repas (ainsi que tous les autres), à même le sol. Elle disait son rosaire de vive voix, à sept heures, de même que plusieurs autres prières. L'heure du coucher sonnait à huit heures et demie. Mais dès minuit, elle se levait, et quittait sa cellule pour aller à la chapelle. À cette heure, toutes les soeurs s'étaient retirées pour la nuit, et la porte de la chapelle était fermée à clef. Elle était seule. Dans le silence de la nuit, elle se prosternait une heure ou plus devant l'autel. Même les nuits d'hiver les plus rigoureuses, lorsque l'aigreur du froid et du silence semblaient se confondre, elle n'abrégeait jamais son heure d'adoration dans la chapelle glacée.

Tous les intervalles du jour qui n'étaient pas consacrés à la prière ou à la lecture s'employaient aux travaux à l'aiguille. Elle confectionnait des parements d'autel, des bouquets de fleurs artificielles et des vêtements sacerdotaux, pour les églises de Montréal et des environs. La splendeur de ses broderies de soie contrastait avec la grisaille hideuse qui l'entourait. Des échantillons de son artisanat furent réchappés. Certains sont conservés à la maison mère de la Congrégation, rue Sherbrooke; d'autres sont exposés au musée, situé à l'arrière de l'église Notre-Dame, Place d'Armes.

À l'automne de 1714, Jeanne Le Ber tomba gravement malade. Fiévreuse, elle respirait péniblement. Elle reçut l'Extrême-Onction mais demeura déterminée à ne pas laisser troubler la longue solitude de sa vie par les attentions empressées prodiguées ordinairement aux mourants. Aussi, la religieuse qui la soignait dut-elle retourner prier devant l'autel, pour que Jeanne pût être seule plus souvent. En outre, elle exprima le souhait qu'on tirât ses rideaux, pour que même la lumière ne vienne point la distraire. Dans le silence et l'obscurité de sa petite chambre, Jeanne Le Ber, mourut le 3 octobre à neuf heures du matin, à l'âge de cinquante-trois ans.

Plusieurs années auparavant, son père avait demandé aux religieuses de la Congrégation d'être inhumé dans la chapelle que sa fille avait fait bâtir. Bien que Jeanne eût choisi la vie cloîtrée, il put obtenir de la visiter deux fois l'an et exprima le souhait qu'ils fussent réunis dans la mort. Le 5 octobre, Jeanne fut inhumée dans la chapelle, aux côtés de son père.

La plus grande preuve de la sincérité de Jeanne Le Ber fut dévoilée, après sa mort, dans sa biographie écrite par l'Abbé de Belmont. Celui-ci dit avoir appris de son directeur spirituel qu'elle avait éprouvé peu de satisfaction au cours de sa vie solitaire, faite de prières. Aux premiers jours de sa vie de recluse, sous le toit paternel, ses prières lui apportaient douceur et paix. Mais les vingt dernières années de sa vie (années passées dans sa cellule derrière l'autel), furent vécues dans la désolation la plus aride. Aucune chaleur ni lumière n'avait soulagé ou récompensé l'austérité de sa dévotion. C'est donc grâce à la fermeté de sa volonté, observant ses voeux, qu'elle put s'acquitter de ses exercices religieux et accomplir ses travaux pour les églises, n'abandonnant et ne négligeant aucun de ses devoirs. Lorsqu'elle pressentit sa fin, elle redoubla de ferveur, sachant qu'elle serait non seulement délivrée des rigueurs qu'elle s'était elle-même imposées, mais aussi de cette longue nuit de l'âme, traversée grâce à sa volonté inlassable, pendant vingt années solitaires.

Il ne subsiste rien de la chapelle édifiée par Jeanne Le Ber à l'intention de la Congrégation. Elle fut détruite par le feu en 1768. La Ville de Montréal, en 1912, prolongea le boulevard Saint-Laurent au sud de la rue Notre-Dame, empiétant sur l'ancien domaine de la Congrégation. Quiconque longe cette section du boulevard pose le pied sur le site de la chapelle où Jeanne Le Ber passa ses vingt dernières années, véritable « prisonnière de Dieu ».

**Boulevard Lasalle:
le cairn en
l'honneur du
grand explorateur**

— V —

L'homme à la main de fer :

Henri de Tonty

On l'avait surnommé « l'homme à la main de fer. » En effet, il avait une main de métal. Certains soutenaient que c'était du cuivre; d'autres, du laiton ou encore, de l'argent. D'aucuns répétaient que c'était vraiment du fer. De toute manière, cet homme dissimulait sa main de métal sous un gant. C'était un désavantage, à n'en pas douter; mais c'était aussi un atout. Lorsqu'il abattait sa main de fer sur le crâne de l'adversaire, c'était un véritable coup de massue. Les Indiens en vinrent à le respecter. Les mains artificielles leur étaient inconnues; ils savaient seulement qu'à l'intérieur de ce gant, il détenait une terrible puissance de frappe. Ils l'avaient surnommé « Remède puissant ».

« L'homme à la main de fer » était Henri de Tonty. Il perdit sa main droite alors qu'il servait le roi Louis XIV dans une campagne contre le roi d'Espagne. Elle fut fracassée par l'explosion d'une grenade, au cours de la bataille de Libisso. On prétend que Tonty ne prit pas la peine d'attendre le chirurgien. Il amputa ce qui restait de sa main droite avec celle de gauche.

Cette auto-chirurgie démontre l'inébranlable sang-froid de Tonty. Parmi tous les trafiquants de fourrures, les explorateurs et bâtisseurs d'empire qui partaient de Montréal pour le Nord-Ouest, au dix-septième siècle, nul n'avait la ferme résolution de l'homme à la main de fer. Pourtant, il ne semble pas avoir été un homme de stature imposante. On l'a décrit petit et mince; seule sa volonté lui conférait de l'ascendant. Un contemporain notait: « Il est aimé de tous les voyageurs... C'est l'homme qui connaît le mieux le pays... partout, on l'estime et on le craint. »

Henri de Tonty n'était pas un Français mais bien un Italien. En fait, son nom s'écrivait Tonti. Son père, banquier napolitain, participa en 1647 à un soulèvement populaire contre la tyrannie du vice-roi espagnol. Il prit la forteresse de Gaeta. Vraisemblablement, Henri naquit pendant cette révolte et dans cette place-forte. Après l'échec de l'insurrection, les Tonti se réfugièrent en France. À l'âge requis, Henri se joignit à la marine française, mais au terme de la guerre contre l'Espagne, il se retrouva libre, pauvre, mutilé.

C'est à ce moment précis que des amis influents le recommandèrent à l'attention de René Robert Cavelier, sieur de La Salle. À la veille de tenter une aventure prodigieuse, en Nouvelle-France, La Salle était à la recherche d'un lieutenant digne de confiance, quelqu'un qui le seconderait malgré tous les risques et toutes les difficultés. Il hésita, d'abord, face à un homme qui n'avait qu'une main, et la gauche, par surcroît. Mais quelques années plus tard, il écrivait (sans doute à l'Abbé Renaudot, l'un de ceux qui lui avaient indiqué Tonty):

« M. de Tonty a toujours été si intègre dans ses relations avec moi, que je ne puis exprimer toute ma joie de l'avoir à mes côtés... Il a dépassé mes attentes les plus élevées... Son honnêteté et sa force de caractère vous sont assez familières, mais peut-être ne l'auriez-vous pas cru capable d'accomplir des choses qui paraissaient exiger une forte constitution, la connaissance du pays et le libre usage de ses deux bras. Toujours est-il que son énergie et son adresse le rendent capable de tout. »

La Salle avait besoin d'un lieutenant dont les qualités se trouvaient réunies en Tonty. Son esprit et son tempérament personnels comportaient de graves lacunes, auxquelles il ne savait remédier. Il lui fallait quelqu'un qui puisse combler son inaptitude à la gestion pratique, et quelqu'un qui ne fût pas rebuté par son arrogance maussade. Tonty satisfaisait à ces exigences. Il était compétent et loyal. Un lien si puissant se noua entre les deux hommes que chacun était prêt à risquer sa vie pour l'autre, ce qui se produisit.

De nos jours, à Montréal, il existe plusieurs monuments consacrés à la mémoire de La Salle. L'un d'eux est érigé sur les berges de Lachine, cette colonie qui reçut son nom baroque pour ridiculiser la naïve croyance de La Salle qui pensait découvrir, quelque part à l'intérieur de l'Amérique du Nord, un nouveau passage menant aux richesses d'Extrême-Orient. Un cairn et une borne de métal désignent le site de sa vieille ferme seigneuriale, chemin Lower-Lachine, un peu à l'est du talus qui jouxte le pont ferroviaire. Une municipalité, plusieurs rues, ainsi qu'un boulevard, portent aussi son nom, sur l'île de Montréal. Toutes sortes de commerces l'ont aussi emprunté, voire une société de taxis.

Henri de Tonty a eu plus d'un rapport avec Montréal. C'est ici qu'il obtenait ses biens d'échange et son matériel; c'est ici, qu'il embauchait ses voyageurs; il y menait des négociations et signait des documents judiciaires; il expédiait ses pelleteries d'ici; le gouverneur de Montréal le consultait à propos d'une stratégie face aux conflits avec les Indiens; son frère Alphonse s'était établi ici et Tonty lui-même y séjourna, pendant l'hiver 1684-85, et y rédigea ses mémoires de voyage. Cet homme à la main droite gantée était sans doute un personnage familier pour les Montréalais.

Pourtant, Montréal ne rendit pas hommage à la mémoire de Tonty avant 1950. Le 19 juillet, le comité exécutif nomma la rue de Tonty en son honneur. Elle est située, à juste titre, près du parc de la Louisiane.

La Salle fut un planificateur grandiose. Bien qu'il ne manquât guère de courage et d'imagination, il avait grand besoin de patience, de réalisme, et du sens de l'organisation, pour la mise en oeuvre de ses projets. Ses détracteurs ne manquaient pas de répandre qu'il était atteint de folie, qu'il était un individu sur lequel on ne devait pas compter. Ils laissaient entendre qu'il était bien mûr pour l'asile. Alors même que La Salle planifiait sa première expédition, un Sulpicien sagace mit tous en garde contre ses « sautes d'humeur » qui pourraient bien lui faire abandonner le projet « au premier caprice. » Et vers la fin de sa carrière, un autre de ses adversaires commentait: « Rares sont ceux qui ne le croient pas dément. J'en ai parlé à des personnes qui l'ont connu durant vingt ans. Tous s'accordent à dire qu'il a toujours été quelque peu visionnaire. »

De tels commentaires ne traduisaient qu'un aspect de la réalité. La Salle voyait si grand qu'il semblait, par moments, revendiquer tout le continent nord-américain. De pareils projets pouvaient être taxés de visionnaires, mais ils n'en constituaient pas moins une menace réelle pour ceux qui entretenaient des intérêts personnels sur le même vaste territoire. Les visées de La Salle n'auraient pas eu une envergure aussi impérialiste, qu'elles auraient peut-être engendré moins de malaises et de rivalités. Il est vrai, cependant, que ses aspirations étaient toujours hors de sa portée. Il cherchait à réaliser des projets qui dépassaient les capacités humaines. Tonty fut le seul être qui tenta systématiquement d'asseoir ses châteaux en Espagne. Les historiens ont noté avec justesse que « La Salle concevait, Tonty exécutait. »

La fidélité de Tonty à la personne de La Salle excédait sa fidélité aux projets de l'explorateur. Tonty fut le seul ami sincère et durable de La Salle; celui-ci reconnaissait en Tonty « le seul officier qui ne m'ait pas abandonné. »

Durant les neuf années qu'il passa en séminariste de leur ordre, les Jésuites avaient observé chez La Salle de pénibles traits de caractère. Ils l'avaient trouvé irascible, autocrate, rigide, taciturne, généralement peu sociable. Par contre, il possédait des talents exceptionnels (notamment en mathématiques) et la capacité du zèle. Pendant neuf ans, ils s'acharnèrent à discipliner son agitation, à maîtriser ses mouvements impulsifs, à mâter son mauvais caractère. La Salle quitta les Jésuites le 28 mars 1667. Selon le verdict jésuite il souffrait d'*inquietus*.

Un homme doté d'un tel tempérament n'était pas apte à exercer l'autorité. Il suscitait le ressentiment chez ses subalternes. Les expéditions qu'il dirigeait en terre lointaine se signalaient par le mécontentement et les mutineries. À la fin, il fut assassiné par un de ses hommes. Henri de Joutel, membre de son équipage, écrivait que toute la distinction de ses qualités se trouvait « annulée par des manières arrogantes qui le rendaient souvent insupportable, et par une rudesse envers ses adjoints et ses subalternes qui lui valait leur haine implacable, et qui fut finalement la cause de sa mort. » Taciturne, secret, amer et sans tact, La Salle trouva une seule personne qui voulut l'assister au cours des années, même dans les conditions les plus désespérées. L'on comprend donc pourquoi il disait de Tonty: « Je ne puis exprimer toute ma joie de l'avoir à mes côtés. »

La Salle était un jeune homme dans sa vingt-quatrième année lorsqu'il quitta les Jésuites. Il avait consacré neuf années de sa vie à se former en vue d'une vocation qu'il avait abandonnée. Il n'avait reçu aucune autre formation. Natif de Rouen, il se tourna tout naturellement du côté de la Nouvelle-France. La Normandie avait fourni plusieurs de ses hommes à la colonie. L'Église de Nouvelle-France relevait de l'archevêché de Rouen.

La Salle avait aussi des relations de famille. Un oncle faisait partie de la Compagnie des Cent-Associés, ces riches notables réunis par Richelieu en vue de promouvoir le commerce et la colonisation en Nouvelle-France. Il avait aussi un frère, prêtre sulpicien, à Montréal.

La Salle arriva à Montréal en 1667. Les Sulpiciens lui accordèrent une seigneurie. C'était un vaste domaine au bord de l'eau, où passe aujourd'hui le chemin Lower-Lachine. On lui octroya le terrain gratuitement, à la condition qu'il encourageât la colonisation et s'acquittât des obligations traditionnelles d'un seigneur. Mais vivre la vie de seigneur, fixé en un seul lieu, surveillant le détail de la vie communautaire, s'avéra bientôt tout aussi incompatible avec son tempérament que son noviciat chez les Jésuites. Sa nature inquiète fut provoquée et tourmentée par la proximité du fleuve, un fleuve dont les mystérieux courants pourraient l'entraîner à d'immenses découvertes. Mais s'il devait s'engager dans l'exploration, il aurait besoin de fonds. Et s'il devait se procurer de l'argent, ce ne pourrait être qu'en vendant sa concession. Il la revendit donc aux Sulpiciens car, quoiqu'elle lui eût été offerte, il y avait apporté de multiples améliorations.

La Salle allait donc se consacrer à l'exploration et à la traite des fourrures. Ses vastes desseins sur le territoire américain exigeraient, de toute évidence, l'approbation et l'appui officiels des plus hautes instances. Il trouva le soutien qu'il cherchait chez le vieux comte de Frontenac, gouverneur de Nouvelle-France. Frontenac était lui-même difficile, autoritaire, querelleur. Mais c'était aussi un homme d'envergure, capable de projets d'une grande portée, un homme qui faisait bon accueil à l'audace et à l'esprit d'entreprise. Il prétendait que la vallée du Saint-Laurent ne constituait qu'une parcelle du royaume à réclamer au nom de Louis XIV. Le comte était également capable d'avidité: au moyen d'une entente privée avec La Salle, il s'attribuait un pourcentage des profits tirés du commerce des pelleteries.

Après avoir exploré et négocié dans la région des Grands Lacs, La Salle retrouva son humeur agitée. Il mûrissait des plans beaucoup plus ambitieux. Il développerait la traite sur tout l'intérieur du continent et il parcourrait le Mississippi jusqu'à son delta. Il présenta ce projet à la cour de Versailles, en 1677, et en fit valoir les éblouissantes possibilités. La formidable étendue du continent s'ouvrirait au négoce et aux communications. On empêcherait les Anglais de franchir les monts Alleghanys. Si la puissance française pouvait s'étendre jusqu'à l'embouchure du

Mississippi, on parviendrait peut-être à réprimer la présence espagnole dans cette région. La Salle souligna enfin que ses propositions ne coûteraient rien au roi. Le projet saurait se suffire financièrement si on accordait à La Salle le droit de négocier sur ce territoire.

Le roi accéda à ses demandes, « puisque rien ne nous tient plus à coeur que l'exploration de ce pays, à travers lequel, vraisemblablement, il se trouve un chemin vers le Mexique... »

La Salle retourna à Montréal, emmenant avec lui Henri de Tonty, qui devait être son lieutenant dans la réalisation de ce rêve impossible. Car ce projet était effectivement impossible. Il fallait le financer à partir d'emprunts; seuls de prompts remboursements satisferaient les créanciers. Quand les obstacles et les infortunes retardèrent l'entrée des revenus, ses créanciers commencèrent à acculer La Salle au pied du mur.

Tonty fut mis à l'épreuve dès sa première mission dans le Nouveau Monde. La Salle entama la construction d'un navire pour le transport des fourrures sur les Grands Lacs. L'ouvrage débuta à l'anse Cayuga, sur la rivière Niagara. Bien qu'il eût assisté à l'ébauche des travaux, il dut bientôt regagner le fort Frontenac pour y vaquer à ses affaires. Tonty fut chargé de poursuivre le travail, au coeur d'une nature sauvage.

Tonty était anxieux, harcelé, menacé. Les ouvriers avaient été subornés par les ennemis de La Salle; ils se montrèrent truculents, rétifs, enclins à la mutinerie. La tribu des Sénécas désapprouvait le projet; ils craignaient qu'il puisse être employé de façon à leur nuire. Ils erraient dans les parages, comme une ombre sinistre, énervante. L'un d'eux, feignant l'état d'ébriété, fit irruption dans le camp. Il s'attaqua au forgeron; celui-ci le tint en respect en brandissant une barre de fer, rougie par le feu. À mesure que s'élevait le vaisseau, la menace indienne croissait. Une rumeur se rendit jusqu'à Tonty: les Sénécas mettraient le feu au navire avant qu'il ne fût mis à l'eau.

Tout conspirait contre Tonty: l'isolement des terres sauvages; une nourriture médiocre; le froid mordant de l'hiver; le mécontentement des dissidents, les Indiens obsédants. Pourtant, à son retour à l'anse Cayuga, tôt en août, La Salle apprit que son navire, le *Griffon*, lourd d'environ quarante-cinq tonneaux, avait été lancé au printemps, qu'il avait remonté le cours de la rivière Niagara et jeté l'ancre en amont à Pierre-Noire. Plus tard dans l'année, la perte du *Griffon*, et de toute sa cargaison de fourrures, s'ajouta aux infortunes de La Salle. Mais en le construisant, Tonty avait fait son devoir en dépit de grandes difficultés, et il l'avait bien fait.

Tonty fut alors affecté à une tout autre tâche. Un certain nombre des agents commerciaux avait déserté La Salle, non sans avoir emporté plusieurs peaux ; Tonty les rattrapa. Puis, il partit avec La Salle voir à l'édification d'un fort dans les terres intérieures. Ils pénétrèrent dans la région de l'Illinois et construisirent le fort Crèvecoeur sur les rives du lac Peoria. Ensuite, ils entreprirent la construction d'un autre vaisseau, celui-là pour l'exploration du Mississippi. Mais la piètre autorité de La Salle se fit bientôt sentir. Il provoqua le ressentiment chez ses hommes. Des rumeurs commençaient à courir : c'était un individu ruiné ; ils ne seraient jamais rétribués ; il serait insensé de rester plus longtemps à son service. La Salle partit chercher des vivres et des biens d'échange. Tonty fut chargé de le remplacer. Il faisait de son mieux pour maintenir l'ordre, quand une lettre arriva de la part de La Salle, l'enjoignant d'aller examiner un énorme rocher sur la rivière Illinois, dit le « Rocher affamé. » Peut-être une forteresse plus puissante pourrait-elle y être érigée, suggérait La Salle. Tonty se conforma aux directives. Mais il dut quitter le fort Crèvecoeur à un moment fort peu propice. Les hommes eurent tôt fait de se rebeller, de démolir la place-forte et de disparaître.

Loin de toute civilisation, entouré d'une poignée de compagnons, Tonty était abandonné. Il se résolut à servir les intérêts de La Salle d'une autre façon : il tenterait de se concilier les Indiens. Si les projets de La Salle concernant le territoire intérieur d'Amérique devaient réussir, il faudrait que les Indiens de la région, les Illinois, lui soient alliés, non seulement en vue de relations commerciales mais de façon à contrer la menace des Iroquois, alliés traditionnels des Anglais, Or, les Illinois se méfiaient de La Salle et de ses visées sur leur territoire. Pour les rassurer, Tonty s'installa parmi eux, dans leur village au bord de la rivière.

Le climat était tendu. À tout moment, les Iroquois risquaient d'envahir le territoire des Illinois. Des négociants anglais et hollandais leur avaient fourni armes et munitions. Le gibier des territoires de chasse iroquois se faisait rare ; ils se déplaceraient donc vers l'ouest.

Un jour de septembre, en 1680, Tonty aperçut un Indien qui courait vers le village. Il criait un avertissement : les Iroquois cernaient les lieux pour les attaquer. Les Illinois encerclèrent

Tonty, l'accusant de trahison. À peine arrivé d'Europe, celui-ci savait peu de choses des Indiens, mais comme le notait un frère récollet, il avait « du courage et de l'intelligence ». En réponse, Tonty leur certifia qu'il était de leur camp ; pour le prouver, il combattrait les Iroquois à leurs côtés.

Lorsque les Illinois s'avancèrent pour livrer combat, les Iroquois, déjà sortis des bois, traversaient la prairie. Bien armés, ils ouvrirent le feu. Tonty comprit tout de suite qu'il devait empêcher cette bataille. Munis d'arcs et de flèches, sans plus, ses Indiens seraient massacrés. Il jeta son fusil et s'avança, dans le fol espoir d'entrer en pourparlers avec les Iroquois et de les persuader, d'une façon quelconque, de se retirer. Deux Français et un Indien illinois s'étaient offerts pour tenter la démarche avec lui, mais il leur ordonna de reculer. Il marcha seul, désarmé, tenant une ceinture *wampoum*.

Les Iroquois l'encerclèrent. Son teint basané d'Italien et ses vêtements rustiques le firent passer, d'emblée, pour un Indien. Un jeune Iroquois lui plongea un poignard dans le coeur. Frappant une côte, la lame n'atteignit pas son but. Le sang gicla de l'entaille. Un chef remarqua ses oreilles ; ce ne pouvait pas être un Indien, s'écria-t-il, ses oreilles n'avaient pas été percées.

On conduisit Tonty derrière la ligne de feu. La bataille n'avait pas cessé. Il pouvait entendre le crépitement des coups de feu et les cris. Il négocia de son mieux : il lui était pénible de parler, le coup l'ayant fait saigner de la bouche. Son unique chance de salut était de signaler aux Iroquois qu'en dépit de leurs longues guerres avec les Français, ils étaient alors liés par une trêve. Or, le peuple illinois était sous la protection du roi Louis. S'ils tuaient les Illinois, ils faisaient la guerre aux alliés du roi.

Il s'avérait impossible de traiter de façon méthodique. De nombreuses interruptions le désarçonnèrent. Un Iroquois vint lui arracher son chapeau. Il le posa au bout d'un fusil, courut vers la ligne de feu et l'exposa aux Illinois. Ceux-ci crurent qu'il avait été tué ; ils se défendirent plus furieusement qu'auparavant. Puis, on rapporta que des Français se trouvaient parmi les Illinois et qu'ils tiraient sur les Iroquois.

Tonty crut qu'il était perdu. « Jamais, dit-il, je ne fus aussi troublé ; car, à ce moment-là, un Iroquois se tenait derrière moi, un couteau à la main, et soulevait mes cheveux comme pour me scalper. Je croyais que c'en était fait de moi, et mon dernier espoir était qu'ils m'assènent un coup sur la tête plutôt que de me brûler vif, comme je m'y attendais. »

Le moment était venu de mentir. Tonty expliqua aux Iroquois que leurs adversaires représentaient 1200 hommes. Soixante Français se tenaient en réserve au village, prêts à intervenir dans la bataille. Cette histoire provoqua un dénouement inattendu. Tonty fut relâché avec une ceinture de paix *wampoum*. Il quitta les Iroquois, et revint en direction des Illinois, brandissant la ceinture. Les clameurs du combat s'amortirent. Sanglant et ébranlé, il tituba jusque parmi les siens.

Les Iroquois n'avaient convenu d'une trêve avec Tonty que pour mieux préparer leur nouvel assaut. Mais Tonty n'avait pas échoué; il avait permis à la majorité de ses alliés indiens de prendre la fuite. Ses hommes et lui se mirent en route vers le nord, pour rejoindre La Salle. L'hiver s'était installé. Ils cherchèrent à se soutenir en extrayant des racines du sol gelé. Peu à peu, ils s'affaiblirent et perdirent tout espoir. Il ne restait plus qu'à affronter courageusement la mort. Tonty les ramena à un village indien désert qu'ils avaient dépassé. Là, ils se blottiraient à l'intérieur d'un wigwam abandonné et s'éteindraient devant un feu réconfortant. Mais une tribu amie, les Outaouais, les secourut au dernier moment.

Entre temps, La Salle s'efforçait désespérément de retracer Tonty. Parvenu à la rivière des Illinois, il découvrit l'hécatombe. L'invasion iroquoise avait tout dévasté. Le village illinois où Tonty avait vécu était infesté de loups et de vautours. Du fort Crèvecoeur ne subsistaient que d'affreuses ruines. Le vaisseau en chantier avait été abandonné; sur son flanc, les mutins avaient inscrit: «Nous sommes tous sauvages...» Aucune trace de Tonty; il semblait peu probable qu'il eût survécu en cet endroit ravagé et désolé.

La Salle dut se résigner à remonter vers le nord, pour tenter d'apaiser ses créanciers et de réunir ses ressources pour un autre effort. Mais en perdant Tonty il avait perdu son meilleur atout. Dans ses récits, Tonty évoque la joie inexprimable de leurs retrouvailles, à Michilimackinac.

La Salle élabora dès lors des plans nouveaux et audacieux. Jusque-là, son projet avait été mis en échec par plus d'un désastre; seul un exploit sensationnel pouvait le sauver. Il serait le premier à explorer le Mississippi jusqu'à l'embouchure et à réclamer, au nom du roi, d'immenses terres vierges. Il démontrerait que ce fleuve offrait un nouveau moyen de communication entre l'est et le centre du continent, de loin supérieur à la route du Saint-Laurent, figée par les glaces une moitié de l'année. À l'automne de 1681, La Salle se rendit à Montréal pour y rédiger son testament. Il légua tout son avoir à un cousin, envers qui il se trouvait fort endetté. Il comptait sur l'appui de Tonty pour affronter les périls du voyage. Quelque temps avant son départ, il écrivit à un correspondant de France: « J'espère écrire plus à loisir l'année prochaine, et vous conter le dénouement de l'histoire, qui, je l'espère, sera menée à bonne fin: car j'ai à mes côtés M. de Tonty, qui est plein de zèle... »

Le 6 février 1682, La Salle mena son expédition aux rives du Mississippi. Près d'une semaine plus tard, vint la débâcle. Son équipage mit les canots à l'eau. Graduellement, le climat se réchauffait. Ils étaient partis par un froid cinglant et furent bientôt surpris par une sorte de printemps précoce. Le soleil se mit à plomber, et l'air à embaumer. La végétation devint luxuriante et les fleurs éclatantes. Ils entrèrent en pays d'alligators. La Salle et ses hommes se nourrirent donc, en grande mesure, de chair d'alligator.

Au cours du périple, Tonty se chargea de prendre contact avec les Indiens et de traiter avec eux. Un jour, des indigènes s'alignèrent le long de la côte, leurs arcs dressés et tendus. Tonty proposa d'aller à leur rencontre avec le calumet de paix. Il accosta avec quelques hommes et les Indiens réagirent amicalement. Ils voulurent manifester leur bonne volonté en tendant la main. Privé d'une main, Tonty était gêné; il demanda à ses hommes de donner la main à sa place. Témoin de cette réception pacifique, La Salle gagna le rivage à son tour. Ils se rendirent tous au village indien et y passèrent la nuit.

Vers la fin du voyage, ils sentirent que la mer n'était pas loin; ils respiraient un air salin. Le fleuve à son delta se partagea en trois bras. La Salle choisit celui à l'ouest; Tonty, celui du centre; Dautray, autre membre de l'expédition, prit celui à l'est. Tous trois débouchèrent sur le golfe du Mexique.

L'heure était venue de prendre possession de cette nouvelle contrée au nom du roi, et de la baptiser. La Salle s'exécuta de belle manière. Pour l'occasion, il s'habilla avec éclat; il fit sortir un costume spécial, écarlate et galonné d'or. Il passa son équipage en revue militaire. Ils chantèrent des cantiques de joie et de reconnaissance, notamment le *Te Deum* et *l'Exaudiat*. La Salle planta un poteau et une croix. D'une voix puissante, il proclama, au milieu de la nature intacte: « Au nom du plus grand, puissant et invincible Prince, Louis le Grand, par la grâce de Dieu Roi de France et de Navarre, quatorzième de ce nom.

Je (...) prends maintenant, au nom de Sa Majesté et de Ses Successeurs à la Couronne, possession de la Louisiane... » Dès la fin de la proclamation, l'air retentit d'une volée de mousqueterie, et les « Vive le Roi! » fusèrent. La Salle dressa un procès-verbal. Henri de Tonty le signa.

La Louisiane que La Salle revendiqua ce jour d'avril 1682 était beaucoup plus vaste que l'état américain actuel. Elle recouvrait tout le centre du continent nord-américain, du Golfe aux Grands Lacs dans l'axe nord-sud, et des monts Alleghanys aux Rocheuses dans l'axe est-ouest.

Au retour, la maladie obligea La Salle à débarquer sur les berges du Mississippi. Il dépêcha Tonty vers Québec, pour qu'il annonçât la découverte. Ce dernier ne fut pas reçu comme il s'y attendait. Frontenac était parti. On avait nommé un nouveau gouverneur, Le Febvre de la Barre, qui s'était allié aux ennemis jurés de Cavelier de La Salle. Dans ses lettres à la cour de France, le gouverneur traitait les découvertes de La Salle avec mépris, mettant en doute leur existence. Il écrivit que La Salle devait de l'argent à tout le monde et qu'il s'était installé dans la forêt comme un roi trônant parmi les gueux.

Après avoir rendu compte à Québec des explorations de La Salle du mieux qu'il put, Tonty s'en revint à la rivière des Illinois. C'est alors qu'il prit en main l'organisation de la traite des peaux au nom de La Salle, qui admettait n'avoir « ni l'habitude ni le goût de tenir des livres. » Tonty, homme d'affaires, était entreprenant, méthodique et rigoureux. Au moment de l'année le plus propice à la navigation, il fit bâtir un fort au bord de la rivière, sur l'inexpugnable « Rocher affamé », qui servit de quartier général à leur commerce. On appela ce poste fort Saint-Louis. Le site était capital: le poste de traite s'élèverait en rempart contre l'intrusion des trafiquants anglais et hollandais, qui se frayaient un chemin vers le pays des Illinois par les vallées de l'Ohio et de la Cumberland.

Tonty démontra le souffle et la vigueur de ses politiques. Il mena une action diplomatique complexe. Il fit de longs voyages chez les Illinois et chez d'autres peuples, signant avec eux des engagements fermes, en vue de contrer les influences anglaise et hollandaise. Pour développer ce commerce et pour assurer sa défense, il réunit en une alliance les diverses tribus de l'Ouest. Il les convainquit ensuite d'abandonner leurs villages clairsemés et de s'installer à proximité du fort Saint-Louis. Grâce à ses efforts, une grande fédération fut créée; à l'ombre du rocher trois cents cabanes abritèrent environ vingt mille Indiens.

Entre temps, l'habile gouverneur La Barre avait réussi à miner l'autorité de La Salle. Il gêna le ravitaillement en biens d'échange destiné au quartier général. Enfin, il confia la direction du fort Saint-Louis au chevalier de Baugy. Face à ce nouveau défi, La Salle décida de se rendre directement à Versailles et de plaider sa cause devant le roi.

Les fausses allégations de La Barre avaient ébranlé la confiance de Louis XIV en La Salle. Néanmoins, ce dernier sentit qu'il arrivait à Versailles à un moment propice. Les Espagnols irritaient le roi. Ils avaient arraisonné les vaisseaux français en mer, allant jusqu'à arrêter et emprisonner ses sujets. Après avoir décrit son périple jusqu'à l'embouchure du Mississippi, La Salle proposa une expédition par mer qui imposerait l'autorité française sur les rivages du golfe mexicain. Il lui fit également accroire, pour des motifs inconnus, que les mines d'or du Mexique espagnol n'étaient pas loin; des bateaux remontant le Mississippi pourraient les attaquer.

Les propositions de La Salle furent accueillies avec empressement. Cette fois, il n'eut pas à dépendre de ses propres fonds. Le roi lui fournit un grand vaisseau de trente-six canons, un autre à quatre canons, une gabare et un ketch. Sous le commandement de La Salle, l'expédition comptait à son bord une centaine de soldats, des artisans, des manoeuvres, des colons et des missionnaires.

Dans toute cette opération, La Salle n'avait commis qu'une grave erreur: il n'emmena pas Henri de Tonty avec lui. Il y avait une raison à cela. Le roi avait restitué à La Salle tous les droits commerciaux du fort Saint-Louis, et celui-ci estimait que la présence de Tonty y serait nécessaire, pour continuer à gérer les affaires. L'absence de Tonty, de sa loyauté, de sa résolution, de ses connaissances pratiques et de son conseil se firent aussitôt sentir, avant même que l'expédition ne prenne la mer. Un poste de commande faisait ressortir chez La Salle les tendances les plus néfastes. Il se montra soupçonneux, cachottier, instable, blessant. Le capitaine du vaisseau principal, Taneguy Le Gallois de Beaujeu, était un officier naval d'expérience, au caractère plutôt bienveillant. La Salle refusa même de lui dévoiler la destination du voyage. Jamais auparavant le sieur de Beaujeu n'avait rencontré un homme pareil. Dans une correspondance secrète, il se plaignit au ministre du roi. Néanmoins, il promit de faire son possible: « J'irai droit devant moi sans prêter attention à mille caprices et bagatelles... Je le souffrirai avec patience, comme je l'ai toujours fait, dût-il exiger que je mène mon navire sur la terre ferme. »

La flottille parvint au golfe du Mexique; mais on ne trouvait pas le Mississippi. Maître de l'itinéraire, La Salle avait dépassé la bouche du fleuve de plus de quatre cents milles. Il avait atteint l'entrée de la baie de Metagorda et semblait persuadé qu'il arriverait ainsi au grand fleuve. Le sieur de Beaujeu fit tout ce qu'il put pour lui venir en aide, bien qu'il eût enduré son compte d'affronts. Il proposa de se rendre en Martinique, pour des provisions et des renforts. Mais le présomptueux La Salle, sûr d'avoir atteint son but, lui donna son congé. De Beaujeu les quitta et continua de naviguer.

Peu après, La Salle comprit son erreur. Il ne se trouvait pas à l'embouchure du Mississippi. Il ne savait pas où il était rendu, ni où il devait aller. Les vaisseaux étaient partis et il n'y avait aucun secours à espérer. Toute l'équipe se trouvait dans un isolement effrayant, aux confins d'un monde inconnu. Il ne restait plus qu'une solution: il cheminerait vers le nord pour trouver de l'aide. Pour y arriver, il devrait longer le Mississippi mais encore faudrait-il d'abord s'orienter de façon à gagner le fleuve.

La Salle ignorait que Tonty était parti à sa rescousse. Aussitôt qu'il eût appris, au fort Saint-Louis, que La Salle avait atteint le golfe du Mexique, Tonty voulut s'assurer qu'il était sain et sauf et lui prêter main-forte. Il descendit le Mississippi, prévoyant trouver La Salle établi non loin de l'embouchure. Mais il arriva au Golfe sans repérer le moindre indice de son passage. Il délégua des équipes d'éclaireurs le long des deux rives, celle de l'est et celle de l'ouest. Il n'y avait que vide et silence.

Tonty n'avait pas la moindre idée de la position de La Salle. Il remit une lettre à un chef indien du Mississippi, lettre destinée à La Salle, si celui-ci se présentait. Il lui manifesta aussi son respect, dans un geste de tendresse et de loyauté: sur le rivage, il vit le pieu que La Salle avait enfoncé en 1682. Il s'était écroulé et avait dégringolé jusque dans l'eau, près de la berge. Tonty le récupéra et le planta à nouveau, sur un site plus élevé.

Alors que Tonty rentrait bredouille au fort Saint-Louis, La Salle vivait des moments difficiles. De toute son existence, l'explorateur n'avait jamais tant eu besoin de son lieutenant. Avec une vingtaine d'hommes, il s'était mis en route; le désespoir et la haine tenaillaient le petit groupe qui s'enfonçait dans l'inconnu. Les querelles s'envenimèrent. L'autorité de La Salle se fit plus âpre que jamais. Son neveu, Moranget, se permit aussi de malmener et de rudoyer les hommes. La Salle ne fit rien pour l'en dissuader. Un homme nommé Duhaut complotait en vue d'une mutinerie.

Sur les ordres de La Salle, un groupe prit les devants pour aller récupérer de la nourriture laissée dans une cache. Moranget se trouvait parmi eux, ainsi que Duhaut. L'échéance de leur retour passa. La Salle pressentait un malheur. Il partit à leur recherche, accompagné d'un guide indien ainsi que d'un frère du nom de Douay. Le frère raconta plus tard que, tout au long du chemin, La Salle ne cessa de parler de foi et de providence divine. « Tout-à-coup, poursuivit-il, je le vis accablé d'une profonde affliction dont il n'arrivait pas lui-même à rendre raison. Il était si bouleversé que j'avais peine à le reconnaître. »

Ils parvinrent au camp des hommes qui avaient été dépêchés par La Salle. Celui-ci aperçut deux aigles qui tournoyaient dans le ciel. Il savait ce que cela signifiait. Il déchargea son fusil et son pistolet pour obliger quelqu'un à paraître. Un des hommes se montra. La Salle voulut savoir ce qui était arrivé à son neveu. L'homme se fit insolent. La Salle se rua sur lui pour lui donner une correction. Un coup de feu retentit du côté des broussailles. La Salle chancela et tomba, atteint au cerveau par Duhaut, qui s'était dissimulé, tapi comme un Indien. Les mutins firent outrage à son corps; on le dépouilla de ses vêtements pour le traîner parmi les buissons. Là, il fut laissé en pâturage aux loups et aux vautours.

La loyauté de Tonty ne s'éteignit pas avec la disparition de La Salle. Lorsqu'il apprit que l'explorateur était mort mais que quelques membres de son expédition étaient peut-être encore vivants, il partit à leur secours. Il connut de nombreux revers. La plupart de ses hommes l'abandonnèrent; il perdit ses munitions en traversant une rivière; les Indiens refusèrent de fournir des guides. Au retour, il traversa des régions marécageuses, marchant parfois dans l'eau jusqu'au cou. Les vivres s'épuisèrent; il se vit forcé de manger ses chiens. Enfin il fut pris de fièvre. « De toute mon existence, jamais je n'ai tant souffert », dit-il. Quoiqu'il eût échoué, il avait agi de son mieux. Personne après lui ne fit le moindre effort pour venir en aide aux survivants de l'expédition de La Salle.

Ayant tout fait en son pouvoir pour La Salle de son vivant, et pour ses compagnons après sa mort, Tonty fit don de sa propre vie en servant le grand projet de La Salle: l'établissement d'un poste français à l'embouchure du Mississippi. Louis XIV avait ressuscité l'idée. Deux frères, nés à Montréal, d'Iberville et de Bienville, y fondèrent des colonies françaises. Tonty contribua à l'établissement de la puissance française sur le Golfe. Son habileté avec les Indiens s'avéra précieuse lors de négociations en vue de soustraire les Chickasaws à l'influence des Anglais de Caroline. Mais une caravelle transportant de la marchandise de La Havane introduisit le virus de la fièvre jaune. Tonty contracta cette maladie et mourut à proximité de Mobile, en 1704.

Tonty fut plus que le lieutenant de La Salle. Il occupe une place en propre dans l'histoire nord-américaine. Mais la qualité la plus séduisante chez lui demeure la fidélité. Il ne cessa jamais de croire à la grandeur de La Salle et ne manqua jamais de compenser pour ses faiblesses. Tonty se mérita des hommages personnels. « C'est un jeune homme d'envergure et d'audace qui entreprend beaucoup », affirmait le gouverneur Denonville. Tonty réservait un témoignage bien supérieur à l'endroit de La Salle. Selon lui, La Salle fut « l'un des plus grands hommes de son époque ».

Place Royale

— VI —

Trafiquants du port :

Les foires de pelleterie

Chaque été à Montréal, pendant environ un siècle et demi, du milieu du dix-septième jusqu'à la fin du dix-huitième, se tenait une grande foire indienne. Son emplacement, dit « la Commune », était une longue bande de terrain entre les quais et les remparts sud de la ville (le long de l'actuelle rue des Commissaires). Depuis ce temps, Montréal a accueilli plusieurs autres foires, voire une exposition universelle. Mais aucune n'a égalé le pittoresque, la vigueur bigarrée, le cérémonial, le chahut ou le marchandage animé, et même la truculence, de ces marchés indiens sur les quais.

Tous les printemps, des centaines d'Indiens venus de l'ouest se donnaient rendez-vous à Michilimackinac ou à la baie Verte, dans la région des Grands Lacs. Souvent, ils accostaient les quais de Montréal en une flotte imposante. Celle de 1693 comptait plus de 400 canots. Ces Indiens voyageaient vers Montréal sur un parcours fluvial de plus de mille milles. Des acclamations joyeuses accueillaient leur arrivée ; en effet, la prospérité économique de Montréal, voire sa survie, dépendait de ce trafic de fourrures. Si ces flottes indiennes avaient manqué au rendez-vous, (à tout le moins au dix-septième siècle), la ville aurait été confrontée à la ruine.

En amont des rapides de Lachine, des colons français sortaient saluer les Indiens dès qu'ils paraissaient à l'horizon. Des traitants ambitieux installaient leurs kiosques à Lachine pour trafiquer avec les Indiens avant qu'ils n'entreprennent les derniers neuf milles en direction du port de Montréal. Ce type de commerce anticipé était, à l'époque, interdit par la loi. C'était le gouvernement qui réglementait l'échange commercial et Montréal devait en être le centre. D'autres marchés de peaux furent établis à Sorel, Trois-Rivières, Québec et Tadoussac. Mais Montréal, l'avant-poste le plus à l'ouest, offrait le meilleur site. Ses marchés de fourrures surpassèrent tous les autres.

Aussitôt qu'ils arrivaient à Montréal, les Indiens dressaient leurs wigwams, alimentaient des feux pour leurs bouilloires, déchargeaient sans tarder les ballots de pelleteries. Mais la foire ne commençait pas sans les cérémonies d'usage. Le Gouverneur de Nouvelle-France se devait d'être présent. De Québec, il remontait le fleuve, exprès pour la circonstance. Arborant son chapeau à plumes, drapé dans une cape pourpre, il présidait en grand apparat dans un fauteuil, sur la place du marché. Les Indiens formaient un cercle autour de lui, selon la hiérarchie de leurs tribus. Le calumet de paix passait de main en main. On entonnait ensuite le chant du calumet.

Si les gouverneurs tenaient tant à rehausser de leur prestige les foires annuelles de Montréal, c'est que leur importance économique pour la colonie n'était pas seule en cause. Ces rassemblements d'Indiens de tribus diverses leur donnaient l'occasion de pourparler et de consolider leur alliance avec les Français. Ils en profitaient également pour régler certains différends ou faire entendre des griefs.

En 1760, on apprécia l'avantage de ces foires en matière de négociations diplomatiques. Une paix fragile avait été convenue entre Français et Iroquois. Or, trois soldats français venaient d'assassiner trois Iroquois. Ils les avaient d'abord enivrés pour voler leurs fourrures; ensuite, ils les avaient tués. Trois autres soldats français avaient massacré un chef iroquois pour le même motif. La situation était critique. Les Iroquois menaçaient de rompre leur alliance avec les Français en déterrant la hache de guerre. Le gouverneur de Nouvelle-France, le sieur de Courcelle, nourrissait un dernier espoir: leur prochaine rencontre aux pelleteries annuelles de Montréal. Les Indiens s'étant tous rassemblés sur la rive, il s'adressa alors à eux. Y allant d'un discours adroit et ferme, il fit plusieurs pauses, afin de permettre une distribution de cadeaux d'un choix judicieux. Enfin, il tint à garantir aux Indiens que justice leur serait faite. On amena les assassins du chef iroquois. Ils furent alignés puis fusillés sous les yeux des centaines d'Indiens massés sur les quais. Ce spectacle les apaisa. Cela confirma la nécessité des foires de fourrures. Aucune autre manifestation n'aurait regroupé tant de témoins indiens pour l'exécution exemplaire d'une sentence.

Une fois les cérémonies d'ouverture et les pourparlers du gouverneur terminés, on procédait sans plus tarder aux échanges. Pour la plupart des marchandages, les Indiens venaient en ville. Les échanges étaient allègres, et se déroulaient Place Royale. Aujourd'hui, cet ancien site de marché constitue un square à proximité du port, entre les rues Saint-Paul et des Commissaires.

Les pelleteries profitaient aux Indiens comme aux commerçants français. Ces derniers installaient des éventaires où s'étalait une marchandise dont la diversité surpassait de loin celle des marchands itinérants qui parcouraient la brousse en canot. Pour la population de Montréal et des environs, ce marché offrait une occasion exceptionnelle de se procurer des fourrures sans encourir la fatigue, les coûts ou les risques des expéditions marchandes jusqu'en territoire indien reculé.

Le castor remportait la faveur; il décrochait les meilleurs prix. La loutre, la martre et le vison étaient également prisés. Il y avait un marché pour les peaux d'orignaux et d'ours. Par contre, on dénombrait peu de peaux de bisons à la foire, vu la place qu'elles occupaient dans les canots, en regard de ce qu'elles rapportaient. Ce troc se répandit beaucoup plus tard, lorsque le transport par terre eût progressé.

Les commerçants du port avaient recours à des interprètes pour échanger plus aisément avec les Indiens. Ceux qui maniaient couramment les langues indiennes étaient très recherchés. Ils réclamaient habituellement, en retour de leurs services, un salaire proportionnel à l'achat de fourrures.

Quant aux Indiens, les petites échoppes de la place du marché satisfaisaient leurs besoins. Ils s'y équipaient pour toute l'année. Leurs achats étaient de deux types: le nécessaire et l'ornemental.

Parmi les achats obligatoires, des mousquets, avec bien sûr de la poudre, des plombs ou des balles. Vers le milieu du dix-huitième siècle, ils étaient devenus si dépendants de leurs fusils, et malhabiles au tir à l'arc, qu'un observateur prétendit « qu'ils mourraient de faim » si les Européens cessaient de leur fournir mousquets et munitions. Ils en vinrent aussi, peu à peu, à compter sur le tissu européen pour leurs vêtements. Ils achetaient des couvertures de laine, des chemises de toile ainsi que du drap bleu, rouge et blanc. Ils renoncèrent à fabriquer des tomahawks ou des couteaux avec de la pierre ou de l'os, leur préférant les armes fabriquées en Europe. Enfin, ils mirent leurs pots d'argile de côté pour adopter les marmites de cuivre jaune ou rouge.

Tous ces articles utilitaires ne constituaient encore qu'une partie de la marchandise troquée contre des fourrures, aux foires de Montréal. On échangeait souvent aussi des bijoux et des colorants végétaux servant au grimage. L'Indien, homme ou femme, prisait les boucles d'oreille de cuivre, de fer-blanc ou d'argent. Il raffolait de fards cosmétiques. Pour cette raison, le cinabre (un sulfure de mercure rouge assez lourd) se vendait bien. Les indigènes s'en barbouillaient le corps, et parfois même jusqu'à leur chemise. Lorsque le vermillon parut sur le marché, les Indiens crurent qu'aucune autre couleur ne pourrait s'y comparer. On se servait souvent du vert-de-gris pour colorer les visages. Pour s'aider dans leurs maquillages, et afin de mieux juger de leur effet, les Indiens aimaient se servir de miroirs. De passage à Montréal, Peter Kalm écrivit vers 1750: « Les Indiens les apprécient tout particulièrement et s'en servent surtout lorsqu'ils se griment. Alors que les hommes portent toujours leur miroir sur eux, où qu'ils soient, les femmes s'en abstiennent. En somme, les hommes ont un penchant plus prononcé pour la toilette que les femmes. »

Mais le comptoir d'échange le plus séduisant de tous, au marché de fourrures à Montréal comme ailleurs, demeurait celui du brandy ou du rhum. Les autorités religieuses le condamnaient et luttaient pour sa suppression. Les commerçants, de leur côté, faisaient valoir sa nécessité. Tout négociant qui refusait d'offrir du brandy aux Indiens risquait de voir ceux-ci rompre leurs relations avec lui, au profit sans doute des colons hollandais ou anglais. Sans la traite de l'alcool, on ne pouvait plus être sûr d'aucun autre négoce. Il est vrai que les Indiens auraient pu constituer une menace pour toute la ville, lorsqu'à la tombée de la nuit, l'ivresse les égarait. Mais par mesure de précaution, les portes de la ville étaient alors fermées, sans quoi « ils auraient peut-être été tentés de commettre de graves outrages, tenant ainsi les citoyens sur un perpétuel qui-vive », ainsi que le note un écrivain de l'époque.

Les marchés de fourrures sur les berges de Montréal se sont perpétués jusqu'au début du Régime britannique. Ils furent décrits par un voyageur anglais, G. Taylor, de Sheffield, qui assista aux pelleteries de septembre 1768. Arrivé depuis quelques mois seulement en Amérique du Nord, il avait acheté des biens d'échange à New York et venait participer aux marchés du Nord. « Nous avons trouvé la ville... bien remplie de monde, écrivit-il, venant des coins les plus reculés des provinces du Nord ; il y avait là des négociants habitant à plus de mille milles, et des Indiens ayant parcouru jusqu'à mille huit cents milles. »

Cette année-là, le commandant en chef de la garnison de Montréal présidait. Il prit la précaution de placer des gardes ici et là pour sauvegarder l'ordre public. Ces mesures s'avéraient nécessaires, car on vendait de l'alcool au premier venu. Les Indiens consommaient leur rhum dès l'achat. Taylor fit ces observations : « Ils gardent leur rhum dans un barillet et en portent le bondon à leurs lèvres pour boire goulûment, d'un trait, jusqu'à vider le contenant tout à fait. Ceci amène une démence passagère ; tant qu'elle dure, ils se rendent coupables des excès les plus énormes. »

Quoique la boisson dominât le négoce, elle ne le monopolisait pas. Des descriptions qui ont été faites des Indiens illustrent la variété des autres biens qu'ils obtenaient en échange de leurs peaux. Ils portaient surtout des vêtements européens, se paraient d'ornements et de teintures d'Europe. Le voyageur anglais, John Palmer, les dépeint ainsi : « Le lendemain de mon arrivée ici, six ou huit grands canots accostèrent, chargés de pelleteries, chacun manoeuvré par au moins huit Indiens. Les Indiens s'étaient parés de leurs plus beaux atours : guêtres bleues ornées d'une lisière écarlate, chemise d'un imprimé vif, ou bien une simple couverture noire jetée sur les épaules, et une ceinture voyante en fil de coton autour de la taille ; certains avaient peint leur visage en rouge et noir ; d'autres portaient sur eux des plaques d'argent... et presque tous avaient des pendants d'oreilles. »

Les foires du port de Montréal furent surtout une réalisation du Régime français. Vers la fin du dix-huitième siècle, elles s'espacèrent de plus en plus. De temps à autre, des poignées d'Indiens s'y rendaient encore pour marchander, tant bien que mal, leurs fourrures. Mais les foires annuelles étaient disparues. Les commerçants de Montréal marchandaient désormais aux comptoirs indiens du nord-ouest, et rapportaient les fourrures dans leurs propres canots.

La grande séance de troc sur les quais était terminée. Les registres officiels témoignent de son ampleur : au moins 100,000 animaux à fourrure furent massacrés chaque année, pour approvisionner la flotte de canots indiens qui venait à la foire de Montréal.

Rue Normant

— VII —

Mère des sans-abri:

Madame d'Youville

Le 24 décembre 1771, tôt le matin, un jeune homme s'affairait à la ferme des Soeurs Grises à Châteauguay. Il nourrissait les animaux et distribuait le foin plus nonchalamment que d'habitude. Il entendit alors la voix de Mère d'Youville, supérieure des Soeurs Grises. « Mon fils, dit-elle, ne gaspillez pas le foin! » Il regarda autour de lui. Personne.

Pourtant, il ne pouvait se méprendre sur cette voix, puisqu'il avait souvent accompagné Mère d'Youville lors de ses fréquentes tournées d'inspection à la ferme. Il avait maintes fois écouté ses directives, car rien n'échappait à l'administration vigilante de cette religieuse. Le jeune homme demeura perplexe, ce matin du 24 décembre, d'entendre Mère d'Youville sans arriver à la voir. Plus tard, il confia à d'autres cet étrange incident. On lui apprit que, quelques heures plus tôt, Mère d'Youville avait rendu l'âme, à l'Hôpital Général de Montréal.

Si elle avait parlé après sa mort, Mère d'Youville n'aurait pu le faire de façon plus caractéristique. Elle visait et pratiquait une administration prudente et efficace; le souci du détail lui importait avant tout. Lorsque les Soeurs Grises de Montréal furent informées du récit de ce jeune ouvrier à la ferme communautaire de Châteauguay, toutes furent convaincues qu'elle avait effectivement parlé et cela, à dessein. Elles adoptèrent ces mots comme une sorte de devise: « Ne gaspillez pas le foin! »

Seul un sens sévère et méthodique de l'économie a permis que l'immense oeuvre charitable de Mère d'Youville soit menée à bonne fin, tout au long d'années fort difficiles. Celle-ci se penchait sur tous les infortunés, les pauvres, les vieillards, les délaissés. À Montréal, les gens avaient coutume de dire à ceux qui étaient dans le besoin: « Allez chez les Soeurs Grises, elles feront quelque chose pour vous. » En regard de l'ampleur de sa tâche, Mère d'Youville disposait de peu d'argent. Si elle ne voulait renvoyer personne qui cherchait refuge chez elle, elle devait tirer le meilleur parti de ce qu'elle possédait. Rien ne devait se gaspiller. Le gaspillage était un péché contre les indigents. Mère d'Youville n'avait que faire de la charité ostentatoire, du genre que l'on pratique généreusement un jour, mais qui est suivie d'ennui ou d'indifférence le lendemain. La véritable charité exigeait de l'organisation, une volonté ferme, une routine éprouvée et du bon sens. Il ne conviendrait jamais de « gaspiller le foin ».

Mère d'Youville consacra sa vie aux miséreux, car elle avait elle-même connu la misère. Quoique née dans la noblesse de Nouvelle-France, elle avait enduré toute sa vie une suite d'humiliations. Son père, Christophe Dufrost, sieur de La Jemmerais, fils de famille noble en Bretagne, vint au Canada en tant qu'officier militaire et servit dans les guerres coloniales. Sa mère était la fille du seigneur de Varennes. Mais le père de Mère d'Youville mourut jeune, laissant derrière lui une famille nombreuse et bien peu d'argent; si son salaire d'officier avait pu subvenir aux besoins de sa famille, il n'avait pu suffire à constituer un patrimoine.

Après la mort du père, la famille semble avoir vécu grâce aux bons offices d'amis ou de parents. Bénéficiant de relations influentes et de la générosité d'autrui, Marie-Marguerite obtint d'étudier deux ans au couvent des Ursulines à Québec. Lorsqu'elle revint chez elle à Montréal, elle amassa quelques économies en vendant son ouvrage à l'aiguille. Cette gêne matérielle ne l'empêcha pas de mener une vie sociale active. À cette époque, aux colonies, le rang comptait plus que la fortune; aussi jouissait-elle toujours d'une condition supérieure, privilège de sa classe. Après quelques années d'une vie élégante et animée, elle consentit à un mariage qui paraissait lui offrir dignité et confort.

Son époux, François d'Youville, était le fils du sieur de la Découverte, héritier d'une fortune. Le portrait de François d'Youville se trouve aujourd'hui au musée du Château de

Ramezay. Il dépeint un jeune homme sûr de lui, voire suffisant, fort charmant mais également insensible et égocentrique. Du reste, sa vie en témoigna. Le mariage se révéla discordant. La jeune épouse ne connut jamais la joie de vivre dans sa propre maison. Son mari l'amena partager avec sa mère une résidence située face à la place du marché. De plus, il s'absentait souvent pour négocier avec les Indiens. Elle restait alors seule, avec une belle-mère avare et dure qui ne s'intéressait qu'à l'argent.

Même le commerce de François d'Youville affligeait sa femme. Il établit un poste de traite à l'Ile-aux-Tourtes, où il vendit de l'eau-de-vie aux Indiens. Ce commerce d'alcool n'était pas autorisé par la loi. Mais son père ayant été l'ami du gouverneur Vaudreuil, celui-ci le protégea. À la mort de Vaudreuil, il perdit son immunité et son comptoir. Presque au même moment, toutefois, sa mère décéda. Il dilapida aussitôt l'argent qu'elle avait accumulé avec parcimonie; il perdit tout aux tables de jeu. Ses moeurs dissolues ruinèrent sa santé. Il mourut ayant à peine atteint la trentaine.

Pour Marguerite d'Youville, la vie conjugale avait été affreuse. Elle n'avait fait qu'échanger les privations du foyer maternel contre la lésine de sa belle-mère. Elle fut traitée brutalement par son mari. Il n'avait pas pris la peine de paraître au baptême de son premier enfant; ni même à sa naissance. Lorsque bon nombre de leurs enfants moururent en bas âge, il ne fut d'aucun réconfort. Enfin, il lui laissa une dette de 10 812 livres, alors même qu'elle attendait un sixième enfant (qui mourut à la naissance). Pour gagner sa vie et celle de ses deux enfants survivants, elle tint une petite boutique.

Le malheur ouvrit son coeur à la religion et la religion la porta à se tourner vers d'autres êtres malheureux. Ses premières oeuvres de charité furent toutes bénévoles. Ainsi, elle accueillit chez elle une jeune aveugle. Elle finançait de tels bienfaits principalement grâce à son ouvrage à l'aiguille et à son petit commerce.

L'efficacité de son dévouement attira l'attention de monsieur Louis Normant du Faradon, supérieur des Sulpiciens et vicaire général. Celui-ci estimait Madame d'Youville capable de prendre la direction d'une oeuvre qui avait jusque-là échoué: l'Hôpital Général des Frères Charon.

Cet hôpital avait été fondé vers la fin du dix-septième siècle. Un jeune marchand, François Charon de la Barre, s'étant passablement enrichi, décida de vouer sa vie et sa fortune au soin des mutilés, des vieillards et des infirmes. Il s'unit à d'autres individus pour fonder et doter un hôpital. Cet hôpital s'érigea sur un terrain concédé par les Sulpiciens, à la Pointe-à-Callières, près de l'actuelle Place d'Youville. De bonne volonté, François Charon s'acquitta généreusement de sa besogne; mais l'administration de l'hôpital s'avéra confuse, erratique et infructueuse, en partie à cause d'incessantes disputes avec les autorités gouvernementales. À sa mort, la gestion sombra dans l'incompétence totale. Des dettes considérables s'accumulèrent, en France comme en Nouvelle-France.

Monsieur Normant vit en Madame d'Youville l'envoyée providentielle qui réorganiserait l'Hôpital Général. Mais il pressentit qu'elle aurait d'abord besoin d'une plus grande expérience. Il lui conseilla de s'associer des femmes dévotes pour la mise sur pied d'un petit hôpital dans une résidence particulière, et de mener l'oeuvre à bonne fin, telle une sorte de communauté religieuse séculière.

Au dix-huitième siècle, à Montréal, on ne comptait plus les coteries et les rivalités. Le simple fait que Madame d'Youville devienne la protégée des Sulpiciens suffisait pour que les factions adverses la prennent pour cible. Une lutte s'engagea afin de déterminer quel groupe serait élu pour reprendre la direction de l'Hôpital Général.

Lorsque Madame d'Youville et ses consoeurs sortaient, une cohue railleuse les encerclait dans la rue, leur lançant des injures et des pierres. On raviva la mémoire de son mari dissipé et peu scrupuleux. On laissait entendre que mari et femme avaient été comme les deux doigts de la main; alors qu'il vendait de l'alcool illicite aux Indiens, disait-on, elle tenait les livres. De plus, on fit croire qu'elle et ses complices buvaient ensemble sans vergogne. On les surnomma « les soeurs grises », bien qu'elles n'aient porté à cette époque aucun uniforme religieux; elles ne revêtaient que des vêtements simples de tous les jours. Dans certaines villes de France, les Soeurs de la Charité avaient été baptisées « Soeurs Grises », à cause de leur costume gris. Or, comme le mot « gris », en français, signifie à la fois la couleur grise et l'état d'ivresse, en affublant Madame d'Youville et ses collaboratrices de la sorte, bien qu'elles ne portassent pas le gris, la diffamation était sans équivoque: elles étaient des soeurs « ivres ».

Cette calomnie, et d'autres encore, envenimèrent la polémique à tel point qu'un moine récollet refusa publiquement un jour la communion à Madame d'Youville et à ses collaboratrices. Un prêtre a le droit de refuser la communion à des pécheurs endurcis, causes de scandale. Même devant l'autel, elles furent traitées en réprouvées. On ne ménagea pas davantage ses sentiments lorsque la maison où elle soignait les sans-abri brûla. « Ne voyez-vous pas cette flamme violette? murmurait-on dans la foule. C'est l'eau-de-vie destinée aux Indiens qui brûle ! »

On put constater, quelques années plus tard, à quelle profondeur ces flèches avaient atteint le coeur de Madame d'Youville, au moment où elle reçut enfin la permission de transformer son groupe en un ordre religieux reconnu. Jusque-là, le roi avait jugé qu'il y avait déjà trop de communautés religieuses en Nouvelle-France. En 1750, on avait tenté de fusionner cette oeuvre montréalaise à celle de l'Hôpital Général de Québec. Cependant, en 1755, le souverain accéda finalement à sa demande, et lui permit de fonder son ordre propre, la congrégation des Soeurs de la Charité de l'Hôpital Général de Montréal. Madame d'Youville devait décider de la couleur des tuniques que porteraient les religieuses. Elle choisit le gris. Leurs costumes gris seraient un rappel constant des humiliations qu'elles avaient subies de la part de leurs ennemis.

L'Hôpital Général des Frères Charon tombait en ruines. Il ne restait plus, depuis 1748, que deux frères dans la soixantaine. Le bâtiment délabré abritait à peine quatre pensionnaires: le plus âgé avait quatre-vingt-huit ans et le plus jeune, soixante-treize. Ces vieillards végétaient pitoyablement par terre, dans un coin. La pluie pénétrait par les fenêtres béantes; elle filtrait à travers les plafonds, humectant la crasse accumulée.

Il fallait agir sans plus tarder. Les Sulpiciens avaient triomphé de leurs adversaires. Ils avaient réussi à convaincre le gouvernement de donner à Madame d'Youville et à ses compagnes l'occasion de montrer ce qu'elles pouvaient faire pour remettre l'hôpital en bon état.

Madame d'Youville et ses quelques associées prirent en main cette ruine croulant sous les dettes. Retenue au lit ou à sa chaise par une blessure au genou, elle devait diriger les travaux à distance. Pendant dix-huit jours, ses collaboratrices travaillèrent de cinq heures du matin jusqu'à l'angélus du soir. Elles nettoyèrent l'édifice et firent l'inventaire de ses maigres biens. Madame d'Youville dut emprunter pour les réparations; de nouvelles dettes s'additionnèrent donc aux anciennes. Quand l'hôpital fut prêt, un 7 octobre, on l'y transporta en civière.

La nouvelle directrice plaça son Hôpital Général sous le signe d'une vocation large et généreuse. Ce serait un hôpital à la fois hospice et refuge. Elle y accueillerait ainsi tous les sans-abri. Ses premiers soins s'adressèrent aux vieillards et aux infirmes de tous âges. D'autres besoins se firent sentir : elle élargit alors son programme pour les inclure. Elle reçut des malades mentaux ; on leur réserva une section à part. Puis, l'intendant lui demanda d'accueillir des « femmes déchues » condamnées en justice. Ce qu'elle fit ; en ville, on surnomma aussitôt leur institution « Jéricho ». Mère d'Youville manifesta une sollicitude croissante à l'égard des enfants abandonnés. Elle en avait découvert un, gisant à demi enseveli. Puis elle en aperçut un autre, un jour d'hiver, figé dans la glace de la petite rivière Saint-Pierre, non loin de l'hôpital, une dague enfoncée dans la gorge. Elle se résolut à recueillir tous les enfants mal-aimés. On les déposait souvent dans un panier à la porte de l'hôpital.

Durant la Guerre de Sept Ans, alors que la France et l'Angleterre se disputaient l'Amérique du Nord, il y eut des soldats et des prisonniers blessés à soigner. On s'occupa de cette tâche également. Mère d'Youville l'entreprit à la requête du gouvernement. L'intendant Bigot promit de financer ce secours, mais il réussit à s'approprier une large part de l'argent destiné aux soeurs. La directrice dut choisir entre l'abandon de ces soins ou leur intégration aux autres devoirs charitables, en cherchant seule, tant bien que mal, un moyen de financement. Quant à elle, il n'y avait qu'une solution possible : elle continuerait, rémunérée ou non.

Sa charité était impartiale. Elle soignait les soldats anglais comme les français. Lorsque des prisonniers anglais guérissaient de leurs blessures ou de leurs maladies, elle leur procurait du travail. Elle en engageait quelques-uns comme infirmiers pour l'aile anglaise de son hôpital ; elle en plaçait d'autres aux fermes des Soeurs Grises, à Pointe-Saint-Charles et à Chambly. Le surnom « l'Anglais » s'ajoutait dans ce cas à leurs noms de baptême. Un certain nombre de ces prisonniers s'installa parmi les Canadiens français. Ceci, croit-on, expliquerait en partie pourquoi quelques familles portent aujourd'hui le nom *L'Anglais* ou *Langlois*.

Mère d'Youville s'employa aussi à secourir les anglophones capturés par les Indiens qui s'étaient alliées aux Français. En 1757, elle paya une rançon de 200 livres pour la libération d'un soldat anglais du nom de John. L'année suivante, elle prit à sa charge une fillette irlandaise nommée O'Flaherty. Un père sulpicien l'avait délivrée des Indiens alors qu'ils l'avaient déjà attachée à un poteau et qu'ils s'apprêtaient à allumer le bûcher. Cette jeune Irlandaise fut éduquée chez les Soeurs Grises; plus tard, elle se joignit à la communauté et vécut jusqu'en 1824.

Mère d'Youville poussa même le dévouement jusqu'à cacher des soldats anglais poursuivis par les Indiens. Durant les guerres coloniales, des escarmouches éclataient parfois près de l'hôpital, qui était situé hors les murs de Montréal. Impitoyablement traqués, des Anglais cherchaient asile à l'Hôpital Général, et Mère d'Youville ne les détournait jamais. Elle les cachait dans les caves, les nourrissait en secret puis les laissait partir lorsque le moment semblait propice à leur fuite. Un jour qu'elle et ses soeurs cousaient une énorme tente dans le vestibule de l'hôpital, un militaire anglais terrifié fit irruption dans la pièce. Sans souffler mot, elle souleva un pan de la tente et lui fit signe de ramper dessous. Un Indien armé d'un tomahawk surgit. Elle indiqua calmement la porte. L'Indien se rua dehors, cherchant sa victime dans les champs.

En constatant tout ceci, l'historien se pose naturellement une question: comment Mère d'Youville parvenait-elle à soutenir une telle charge financière? Sa tâche allait toujours croissant. Elle ne refusait jamais personne. Rien ne la ralentissait, pas même un incendie qui détruisit tout, sauf les murs de l'hôpital, en 1765. Debout face au sinistre, les sans-abri à ses côtés, elle les enjoignit d'entonner le grand cantique de louanges à Dieu: « Nous allons réciter le *Te Deum* à genoux, pour remercier Dieu de la croix qu'il nous fait porter. » L'hôpital fut reconstruit et l'oeuvre se poursuivit.

Ce tour de force s'explique par le talent qu'avait Mère d'Youville de conjuguer une charité intarissable à une conduite administrative rigoureuse. Au début, on toucha un certain revenu grâce à des travaux de couture et de broderie. Ce commerce prit de l'importance lorsque la communauté commença à recevoir des commandes du gouvernement. Mère d'Youville et ses soeurs confectionnèrent des uniformes militaires, des galons et des soutaches d'officiers, de la frange, des tentes d'armée. Elle fabriquait également des voiles pour bateaux de pêche. Les pelletiers comptaient parmi ses meilleurs clients; ils demandaient des fournitures pour leurs échanges avec les Indiens. Chaque année, au printemps, alors que les voyageurs s'apprêtaient à partir pour de longs périples en canot, les soeurs, ainsi que les pensionnaires de l'hôpital qui en avaient la force, s'appliquaient ensemble à la finition et à l'empaquetage de la marchandise. Les Soeurs Grises traitèrent également avec les églises, leur fournissant linges et vêtements liturgiques, chandelles et hosties. D'autres revenus s'accumulèrent lorsque des dames fortunées de la ville, veuves d'âge avancé, demandèrent de pensionner à l'Hôpital Général.

Madame d'Youville exploitait de plus les fermes de l'ordre de manière à atteindre de très hauts niveaux de production. Elle vendit la ferme de Chambly qu'elle jugeait improductive et freinée par les disputes légales; en revanche, elle fit l'achat de la seigneurie de Châteauguay. Elle visitait régulièrement cette propriété agricole, ainsi que celle de Pointe-Saint-Charles. Pour se rendre à Châteauguay, elle devait suivre en charrette le chemin accidenté de Lachine et traverser le lac Saint-Louis en canot. Bientôt les fermes comblèrent les besoins de l'hôpital et même davantage: on vendit des oeufs, des poulets, des canards, du beurre, du lard, des céréales, des plumes, des peaux d'animaux, du bois. La directrice achetait aussi des feuilles de tabac qu'elle traitait puis qu'elle vendait. Si quelqu'un pratiquant un métier était admis à l'hôpital, elle employait ce nouveau talent autant qu'il pût servir. L'hôpital avait son tailleur, son pâtissier, son cordonnier et même, à l'occasion, un maçon. Elle dirigea un système de charroi. La tradition veut qu'elle ait organisé une navette entre Montréal et Longueuil.

Malgré toutes ces sources de revenu, Mère d'Youville ne manquait pas de pratiquer et d'imposer une économie stricte. Les Soeurs Grises, n'ayant pas le loisir de se tricoter des bas, s'enroulaient des bandelettes de tissu autour des jambes. En guise de mouchoirs, elles utilisaient les retailles de coton qui restaient de leur couture.

Une production efficace, et des dépenses bien réglées: voilà comment se finança une oeuvre qui pourvoyait à tous les besoins.

La physionomie de Mère d'Youville est difficile à reconstituer. Elle n'autorisa jamais que l'on peignît son portrait. « S'ils tiennent toujours à mon portrait, disait-elle, ils pourront l'obtenir lorsque je serai morte. » Un portrait fut effectivement peint après sa mort. Le décès, l'âge, la maladie avaient altéré ses traits. Il ne reste que peu d'indices sur l'aspect qu'elle présentait lors des années actives de sa vie.

Quelques témoignages suggèrent qu'elle fut une femme corpulente. À peine âgée de douze ans, au couvent des Ursulines, elle passait facilement pour en avoir quinze. Sa présence pouvait être redoutable. Son fils confia qu'elle était à la fois aimée et crainte. Un soldat en état d'ivresse, un jour, vint sonner à l'Hôpital Général, pistolet en main. Sa maîtresse se trouvait parmi « les filles déshonorées » dont s'occupait Mère d'Youville dans son « Jéricho ». Il déclara à la portière qu'il abattrait la mère supérieure si elle ne relâchait pas la fille sur-le-champ. La portière courut auprès de Mère d'Youville et la supplia de se cacher. Mais celle-ci se dirigea plutôt vers la porte à grands pas. Elle affronta le soldat. Il fit demi-tour et s'enfuit sans mot dire.

Les Soeurs Grises l'aimaient d'un amour mêlé de crainte. Elles connaissaient sa bienveillance, surtout au moment de la journée où toutes l'entouraient pour l'écouter. Alors qu'elle prônait une vertu ferme et disciplinée, elle savait que la récréation était aussi indispensable. Elle envoyait ses soeurs passer des vacances sur leurs fermes communautaires, en plus d'encourager la gaieté et les jeux en plein air.

En matière de devoir, cependant, elle ne cédait à aucun compromis. Il fallait lui obéir. Soeur Célaron, novice affectée à la buanderie, s'entêta à soulever une lourde cuve de linge trempé. Elle désobéissait à la directrice qui avertissait les soeurs de ne rien entreprendre qui puisse nuire à leur santé. Si un poids lourd devait être soulevé, elles devaient demander de l'aide. Soeur Célaron subit une rupture interne. On lui administra tous les soins possibles pour qu'elle recouvrît la santé, mais en vain. À l'agonie, elle formula une dernière requête. Puisque son noviciat était à peu près terminé, elle demandait la permission de prononcer ses voeux et de faire sa profession, afin d'être acceptée parmi les Soeurs Grises avant sa mort. Mère d'Youville refusa. Il fallait faire respecter la discipline.

Ce refus d'agréer le souhait de la novice mourante entraîna Mère d'Youville dans une polémique. La mère de Soeur Célaron, veuve pensionnaire à l'hôpital, dénonça la dureté de Mère d'Youville et répandit la chose par toute la ville. Certaines cliques et coteries, toujours opposées à Mère d'Youville, s'agitèrent presque au point de ranimer leurs anciennes persécutions. Ce tumulte n'émut aucunement Mère d'Youville. À la fin, elle fut approchée par la mère de la novice. Celle-ci demanda humblement d'être admise chez les Soeurs Grises à la place de sa fille. L'estimant une femme de vertu exemplaire, et en dépit de la tempête qu'elle avait suscitée, Mère d'Youville consentit. La mère de la défunte novice prononça ses voeux en 1771 et fut la dernière religieuse admise par Mère d'Youville avant sa propre mort, un peu plus tard au cours de la même année.

La sévérité de sa règle se fit sentir en une autre occasion. Il advint qu'elle entendit des éclats de voix alors qu'elle pénétrait dans l'une des chambres de l'hôpital. Les voix se turent aussitôt qu'elle fit son entrée. Elle exigea des explications. Une soeur avoua qu'elle disait à l'instant à une autre soeur ce qu'elle pensait d'elle. Mère d'Youville lui ordonna de faire pénitence: elle dut baiser sur-le-champ les pieds de toutes les soeurs présentes. La coupable s'exécuta sans tarder, encore que certaines religieuses eussent cherché à lui épargner cette humiliation. Une fois de plus, Mère d'Youville avait agi selon le principe qu'une charité efficace est impossible sans discipline rigoureuse.

Parmi les talents de Mère d'Youville figurait un étrange don de prophétie. À plusieurs reprises, elle prédit les événements. Un jour, au cours de l'heure de récréation à l'hôpital, et alors que toutes les soeurs l'encerclaient, sans préambule elle montra du doigt Soeur Thérèse-Geneviève Coutlée. D'un ton grave et assuré, elle déclara: « Voilà celle qui, parmi nous, mourra la dernière. Elle nous survivra toutes. » La prophétie s'accomplit. Soeur Coutlée survécut à toutes les religieuses présentes en ce jour d'avril 1766. Elle ne mourut qu'en juillet 1821.

Une petite-nièce de Mère d'Youville a relaté sa visite, avec d'autres membres de la famille, chez les Soeurs Grises. Ils étaient alors de tout jeunes enfants. Mère d'Youville toucha l'épaule de l'un des petits garçons et dit: « Tu mourras prêtre, mon petit homme », et à l'une des fillettes: « Quant à toi, ma petite fille, tu vas mourir chez les Soeurs Grises. » Le garçon, Jean-François Sabrevois de Bleury, fut ordonné prêtre en 1790. Il mourut curé de la paroisse de Saint-Charles-de-Lachenaie. La fillette, Charlotte de Labroquerie, se maria mais devint veuve. Sa maison à Boucherville fut détruite par le feu en 1843. Enfin, septuagénaire, elle se retira chez les Soeurs Grises. Elle rendit l'âme à leur hôpital de Saint-Hyacinthe (maison fondée bien après la mort de Mère d'Youville).

Mère d'Youville prophétisa sa propre mort. Elle fut longtemps malade. L'après-midi du 23 décembre 1771, elle reçut la visite de sa nièce, Madame Porlier Bénac. Celle-ci lui avait offert de veiller sur elle, cette nuit-là. « Oh ! Cette nuit, je ne serai plus ! » répliqua Mère d'Youville, sur le même ton franc et net qu'elle prenait toujours pour prédire l'avenir. Sa remarque étonna d'autant plus que rien, ni de son état, ni de celui des jours précédents, n'était augure d'une rechute fatale. Néanmoins, au cours de la soirée, vers huit heures trente, elle fut frappée d'une autre attaque d'apoplexie et en mourut.

Aujourd'hui, la Place d'Youville évoque et honore le site de l'ancien Hôpital Général. Au sud du square s'étend la rue Normant, nommée en souvenir du prêtre sulpicien, Louis Normant de Faradon, qui soutint Mère d'Youville dans son oeuvre et la défendit contre ses ennemis. À l'est de cette rue, légèrement au sud de la Place d'Youville, l'on peut observer une longue rangée de bâtiments de pierre. Il s'en trouve un, au milieu d'eux, qu'on dit appartenir à l'édifice original de l'Hôpital Général des Frères Charon. Voilà l'hôpital que Mère d'Youville prit en main et remit à neuf. Ravagé au cours de l'incendie de 1765, on croit qu'il fut reconstruit dans l'enceinte de ses premiers murs. Une des fenêtres, selon les spécialistes, serait bien celle de la chambre où Mère d'Youville s'éteignit, en 1771.

Deuxième partie

Le Montréal des Américains

Angle Notre-Dame
et
McGill

— VIII —

L'Américain qui conquit Montréal:

Richard Montgomery

À cinq heures de l'après-midi, le 11 novembre 1775, un petit attroupement, inquiet et frileux, s'était formé sur les quais de Montréal. La scène était lugubre. Un témoin la comparait aux «plus tristes adieux funèbres». Sir Guy Carleton, le gouverneur, se préparait à filer... à l'anglaise. Munitions, bagages et documents officiels venaient tout juste d'être chargés à bord de trois sloops armés. Sir Guy avait ordonné que tous les canons de Montréal soient traversés de pointes et enrayés. Son dernier espoir était de ne pas partir trop tard, et de parvenir à descendre le fleuve sans être surpris.

Encore la veille, une armée d'envahisseurs américains, commandée par le major général Richard Montgomery, ayant réquisitionné des navires le long de la rive sud, avait accosté non loin de Montréal, à l'Ile Saint-Paul (l'actuelle Ile des Soeurs). Sir Guy Carleton avait jugé Montréal indéfendable. Son plan consistait à s'esquiver jusqu'à Québec, s'y réfugier pour l'hiver et espérer que des renforts britanniques lui parviendraient au printemps, par mer.

Sir Guy avait pris une décision pénible et réaliste. Il abandonnait Montréal à la merci des troupes révolutionnaires américaines qui arrivaient. Quelques commerçants montréalais s'étaient rendus au port pour parler au gouverneur avant qu'il ne parte. Ils lui demandèrent ce qu'ils devaient faire. Peu réconfortante, sa réplique eut le mérite de ne pas les contraindre: il leur répondit de faire au mieux.

La prise de Montréal s'intégrait au plan d'action du général George Washington, qui visait à soustraire le Canada à la domination britannique. Maintenant qu'elles avaient revendiqué leur indépendance, Washington craignait que les colonies américaines ne se sentissent pas en sécurité, tant que l'immense territoire du Canada les menacerait au nord. Tôt ou tard, croyait-il, le gouvernement britannique utiliserait le Canada comme base pour reconquérir ses anciennes colonies.

Le Congrès continental, siégeant alors à Philadelphie, autorisa l'invasion du Canada, qui se fit grâce à deux expéditions. Dirigée par le colonel Benedict Arnold, la première devait franchir les forêts du Maine puis celles du Canada pour se retrouver aux portes de Québec. L'autre, sous les ordres du major-général Richard Montgomery, remonterait le lac Champlain puis le Richelieu, pour avancer enfin sur Montréal. Après la prise de Montréal, Montgomery descendrait le Saint-Laurent pour prêter main-forte à Arnold. Ensemble, ils assiégeraient Québec.

Trois avant-postes barraient la route vers Montréal. C'étaient de vieux forts français, construits à l'origine pour refouler les envahisseurs anglais. Le premier, le Fort Ticondéroga, avait déjà été conquis au nom de la Révolution américaine par Ethan Allen et ses *Green Mountain Boys.* Il en restait deux autres: la place-forte à Saint-Jean, sur le Richelieu, et le Fort Chambly, au pied d'un rapide sur la rive ouest du Richelieu, à vingt-sept et seize milles de Montréal respectivement.

Le succès de l'invasion de Montgomery dépendait de la prompte conquête de Saint-Jean. Si cette fortification résistait jusqu'à l'hiver, il serait forcé d'y renoncer et de battre en retraite. Sans vêtements chauds, ses volontaires n'étaient pas équipés pour une campagne d'hiver. Du reste, ils ne s'étaient enrôlés que pour un service de quelques mois. À l'hiver, leur temps de service serait écoulé et ils s'apprêteraient à regagner leur pays.

Pour Sir Guy Carleton, défenseur britannique du Canada, Saint-Jean revêtait une égale importance. Il en était réduit à défendre le Canada avec moins de mille soldats réguliers. D'urgence, il avait envoyé chercher du renfort. Aucun régiment n'arrivait à son secours, et il ne fallait rien attendre avant le printemps. Ses derniers soldats de profession durent être affectés ici et là, à des postes essentiels. Il avait couru le risque d'envoyer le plus grand nombre à Saint-Jean. Si Saint-Jean tenait jusqu'au bout, son jugement serait confirmé. Si Saint-Jean cédait, il perdait du coup un avant-poste de Montréal et la plupart de ses effectifs professionnels. Mais il avait de bonnes raisons de croire qu'il pourrait repousser Montgomery à Saint-Jean. La place fortifiée paraissait, de prime abord, désavantagée par sa position géographique; elle était située en rase campagne. Cependant, ses remparts, peu impressionnants à première vue, amortiraient fort bien la canonnade. En outre, elle était assez bien pourvue de canons et de munitions. Enfin, le major Preston du 26e Régiment, était un commandant résolu.

Vers la mi-septembre, le général Montgomery assiégea Saint-Jean. Il canonna le fort sans répit. On riposta à l'assaut. Un des hommes de Montgomery écrivit: « On nous sert du boulet et du plomb pour déjeûner et dîner, puis des balles le soir, pour souper. » Malgré tout, chacun des camps réussissait à bien parer aux coups. Montgomery dut se rendre à l'évidence qu'il ne remporterait pas le siège, ou plutôt qu'il ne le remporterait pas à temps.

Il n'était pas au bout de ses peines. En effet, il dirigeait des troupes plutôt dépareillées, opiniâtres, impudentes et indisciplinées. C'étaient des conscrits, des soldats amateurs, la plupart sans uniforme, armés de mousquets de tous genres. Il avait du mal à les maîtriser. *Yankees* indépendants, ils s'étaient engagés pour quelques mois, non pas pour défendre un roi, mais pour se défendre. Il n'était pas facile d'exiger d'hommes qui luttaient par l'affirmation de soi et par esprit de rébellion, qu'ils se pliassent à l'autorité. Ils étaient prêts à considérer ses ordres. Mais il leur appartenait d'y obéir ou non. « Les simples soldats sont tous généraux », se lamentait Montgomery. Aussi déplorait-il « le manque d'obéissance et de discipline... la précarité de mon autorité sur des troupes de colonies diverses, l'insuffisance de la loi militaire et le pouvoir qu'il me faudrait pour l'appliquer, faible comme elle est. » Il avait découvert que la quête commune de la liberté, chez les Américains, n'avait pas encore aplani les préjugés dus au régionalisme. Natifs de Nouvelle-Angleterre surtout, ses hommes le regardaient avec méfiance parce qu'il était de New-York. Dans une lettre à sa femme, il écrivit: « S'il m'était possible de quitter dignement l'armée dans l'état où elle se trouve, je n'y servirais pas une heure de plus. »

D'autres déboires l'attendaient, notamment le piteux état du terrain où se trouvait son campement. Les terres basses autour du fort étaient marécageuses. Transis d'humidité et de froid, les hommes tombaient malades par centaines. Ils étaient affligés de fièvres paludiques, de rhumatismes et de dysenterie.

Enfin, munitions et vivres vinrent à manquer. Le major britannique Preston, enfermé dans l'enceinte fortifiée, paraissait disposer d'une plus grande quantité (et d'une meilleure qualité) de fusils et de poudre. Montgomery fit appel au Congrès. Peu de munitions lui parvinrent. Le Congrès avait d'autres priorités.

Sir Guy Carleton commençait à entrevoir la possibilité de sauver Montréal. Mais, tout à coup, la chance tourna en faveur de Montgomery. Le Général avait dépêché quelques centaines de soldats, avec des canons de petit calibre, attaquer le Fort Chambly. Cette citadelle de pierre serait le prochain obstacle sur sa route vers Montréal. Il ne s'attendait guère à s'en emparer mais cherchait seulement à en prendre la mesure. Au grand étonnement des Américains, le Fort Chambly se rendit tout de suite, ce qui fit un contraste étrange avec celui de Saint-Jean. Ceci n'aurait dû être, en soi, qu'une victoire utile. Mais ce qui en fit la clef de cette campagne d'automne fut la négligence du commandant du fort, l'Honorable major Stopford (fils d'un pair anglais), qui omit de détruire ses réserves. Du jour au lendemain, les Américains entrèrent en possession de munitions et de provisions considérables, dont 124 barils de poudre, quelques bons canons, 6 564 balles de mousquet, 150 armes à feu françaises, et 288 tonneaux de victuailles.

Fort de ce ravitaillement, Montgomery put resserrer l'étau autour de Saint-Jean. Il s'était ragaillardi au moment même où les ressources du major Preston s'épuisaient. À l'intérieur du fort, la liste des morts allongeait. La nourriture se faisait rare; on dut mettre la garnison aux demi-rations. Les chaussures étaient tellement usées que des soldats arrachaient les basques de leur tunique pour se les enrouler autour des pieds.

La position du gouverneur Carleton était pénible et gênante. Qu'il restât sans bouger à Montréal, alors qu'à vingt-sept milles au sud-est de la ville la garnison de Saint-Jean, sous ses ordres, luttait contre la mort, en stupéfiait plusieurs. Sir Guy hésitait à tenter une manoeuvre. Il estimait que les forces hétérogènes, incertaines, et mal entraînées qu'il pourrait réunir ne récolteraient que la défaite. En fin de compte, il dut pourtant poser un geste. Il mobilisa à l'Ile Sainte-Hélène un petit régiment de sept à huit cents hommes. Seulement 130 d'entre eux étaient militaires professionnels. Figuraient aussi environ quatre-vingts Indiens; les autres étaient des miliciens sans expérience.

Le 30 octobre, le gouverneur Carleton quitta l'Ile Sainte-Hélène. Il commandait trente-cinq à quarante vaisseaux, dont l'un muni d'un canon. Un bataillon de 350 Américains était déjà posté sur la rive sud du fleuve, à Longueuil. Carleton devrait d'abord accoster et les vaincre. Comme ses navires longeaient le rivage, les Américains ouvrirent le feu. Parmi eux, les *Green Mountain Boys* du Vermont, tireurs d'élite. Les Américains se mirent aussi à canonner depuis leurs navires, qui s'étaient approvisionnés en poudre au Fort Chambly. Face à la puissance de l'attaque, les hommes sur les bateaux britanniques furent pris de panique. Ils quittèrent la berge dans la confusion, transportant quelque quarante ou cinquante morts et autant de blessés. À l'extrême droite de la ligne de feu, certains miliciens de Carleton (l'un d'eux coiffeur dans le civil) avaient débarqué, espérant constituer une tête de pont. Ils s'attendaient à des renforts imminents alors qu'en fait leurs navires s'éloignaient.

Sans doute Sir Guy regretta-t-il amèrement tout l'épisode. Il se peut qu'il se soit repenti de n'avoir pas suivi son instinct de prudence, qui lui dictait de rester à Montréal et de ne rien faire. Comme ses navires fuyaient Longueuil, le milicien chargé de l'unique canon se tourna vers lui: « Que vais-je faire? » lui demanda-t-il. « Allez souper en ville », fut la réplique désabusée du Gouverneur.

Si le major Preston avait seulement pu espérer du secours, on peut supposer qu'il aurait continué à défendre Saint-Jean. Mais la nouvelle de la reddition du Fort Chambly avait ébranlé son moral. En outre, le général Montgomery prit soin de lui apprendre que la tiède tentative de Carleton avait aussi échoué. Le major Preston désespéra de recevoir quelque renfort. Il capitula. Durement secouée, à demi morte de faim, sa garnison reçut tous les honneurs de la guerre, avec l'accord de Montgomery. Lorsque les officiers eurent déposé leurs armes, Montgomery déclara: « Des hommes de votre trempe méritent que l'on fasse exception aux règles de guerre; remettez leurs épées aux officiers et volontaires! » Il s'assura, par contre, que Montréal fût avertie de la défaite de Saint-Jean. Il fit porter la triste nouvelle à Sir Guy Carleton.

Selon le gouverneur Carleton, la chute de Saint-Jean entraînait inévitablement la chute de Montréal. Il n'entrevoyait plus aucun moyen de défendre la ville. Élevées sous le Régime français, ses fortifications n'avaient jamais été solides. Longtemps négligées, elles croulaient. Il ne disposait que d'une poignée de soldats réguliers et il ne croyait pas que la milice leur resterait fidèle. Il comprenait leur attitude, ne cherchant guère à les blâmer: ils défendaient leurs intérêts comme ils pouvaient. «Je ne puis reprocher à ces pauvres gens de se protéger, observa-t-il, alors qu'ils voient se presser l'ennemi à nos portes, sans aucun secours à l'horizon.» Trahisons et perfidies commençaient déjà à sourdre. À Montréal, plusieurs marchands originaires des colonies du sud, empressés d'accueillir Montgomery, constituaient une cinquième colonne entreprenante. Une nuit, chaque volontaire de garde perdit la pierre à fusil de son mousquet. Personne ne put expliquer le mystère. Carleton se rendit compte que le sort du Canada se disputerait, non plus à Montréal, mais à Québec. Il se prépara à partir.

Le 10 novembre, le général Montgomery fit avancer ses hommes de Saint-Jean jusqu'aux bords du Saint-Laurent, face à Montréal. Les routes n'avaient jamais été commodes, mais maintenant, la pluie commençait à les détremper. Puis, la neige se mêla à la boue, et la gadoue noire englua tout le parcours. Les hommes s'y embourbèrent jusqu'à mi-jambe. Engourdis de froid, ils atteignirent le Saint-Laurent. C'est alors qu'ils virent vaciller les lumières de Montréal sur l'eau.

Le dimanche matin du 12 novembre, une rumeur à Montréal répandit que les forces américaines commençaient à aborder l'île, à la Pointe-Saint-Charles. Les cloches carillonnaient, et les Montréalais se dirigeaient vers l'église. De petits caucus solennels commençaient à se former dans les rues. Quelques-uns des «Tories», les partisans britanniques les plus acharnés, soutenaient qu'il fallait tenir tête. Mais tous durent bientôt convenir que la situation était irrécupérable.

Quatre députés furent élus pour représenter les citoyens de Montréal. Ils partirent à la rencontre de Montgomery. Devant lui, ils s'emportèrent. Ils lui demandèrent pourquoi il venait menacer Montréal, armé comme il l'était. Montgomery leur répondit qu'il venait en toute amitié leur porter les bénédictions de l'Indépendance et de la vraie liberté. Les députés lui ordonnèrent de ne pas approcher plus avant. Tout à fait maître de lui, Montgomery répliqua que ses hommes avaient froid et qu'ils avaient besoin d'un abri. Il envoya sur-le-champ cinquante d'entre eux se loger dans les habitations du Faubourg des Récollets (situé immédiatement à l'extérieur de la Porte des Récollets, là où se trouve de nos jours, l'intersection des rues Notre-

Dame et McGill). Ensuite, il enjoignit les députés de rédiger les conditions de la capitulation. Il leur alloua quatre heures pour s'exécuter.

Les députés se rendirent bien compte du piètre résultat de leur indignation orageuse; accablés, ils regagnèrent la ville. On rédigea les clauses de la reddition. Modérés, les députés tentèrent néanmoins d'obtenir toutes les concessions possibles. Le document fut signé par douze citoyens éminents, six Français et six Anglais. Parmi les signataires anglais se trouvait James McGill, marchand de fourrures qui devait plus tard fonder la célèbre université.

De nouveau, les délégués partirent en direction du Faubourg des Récollets, afin de soumettre leurs conditions de capitulation au général Montgomery. Celui-ci souligna d'emblée un fait incontestable. Ils n'avaient pas de mandat pour négocier la reddition formelle de Montréal. Aussi n'était-il pas disposé à traiter avec eux puisqu'il savait pertinemment qu'ils n'avaient rien à offrir. « La ville de Montréal, fit-il remarquer, ne possédant ni munitions, ni artillerie, ni troupes, ni provisions, et n'ayant pas le mandat d'honorer un seul article du traité, ne peut réclamer aucun droit à la capitulation. » Par contre, il était prêt à se montrer généreux, tout en notant qu'il le faisait par principe et non par obligation. Il n'accepta pas de leur accorder tout ce qu'ils demandaient, mais il concéda beaucoup. Les citoyens de Montréal demeureraient maîtres de leurs biens; ils jouiraient de la liberté de culte; ils ne seraient pas tenus de prendre les armes contre la Couronne ni de contribuer aux dépenses de l'invasion américaine; tout commerce serait encouragé et protégé (sauf, sans doute, le commerce avec la mère-patrie). Il fit aussi une importante concession militaire: ses successeurs occupants devraient respecter les termes qu'il avait sanctionnés.

Ces concessions n'entraînaient pas moins l'occupation. Les termes de l'abdication se terminèrent par ces mots: « Demain matin, à neuf heures, les troupes continentales prendront possession de la ville à la Porte des Récollets. Les officiers en titre se rendront, avec les clefs de tous les entrepôts publics, au quartier général, à neuf heures... »

Ce lundi matin du 13 novembre 1775 fut amer. C'était un hiver précoce de neige et de rafales. Les rues de Montréal et leurs habitants étaient engourdis par le froid. À la tête des soldats de la révolution américaine, le général Montgomery franchit la vieille Porte des Récollets pour occuper Montréal. Tous défilèrent le long de la rue Notre-Dame, en direction des casernes abandonnées par les troupes britanniques en fuite.

Par ce climat glacial, les Montréalais entrevirent pour la première fois le commandant de l'invasion américaine. Grand et mince, il était « bien fait », « distingué, détendu, élégant, viril ». Ses seuls défauts : un début de calvitie, et un beau visage fortement grêlé par la petite vérole. Le port militaire lui était naturel : « Son expression et ses manières révélaient un soldat authentique. »

Cette allure martiale n'avait rien d'étonnant puisque Richard Montgomery était un vrai soldat. Pendant seize ans, il avait servi en tant qu'officier dans l'armée britannique. Il ne fallait pas se surprendre non plus de ses manières élégantes car c'était un aristocrate racé. Issu d'une famille distinguée d'Irlande, il avait fait ses études au Trinity College, à Dublin. Établi à New York, il épousa Janet Livingston, fille du juge Robert Livingston. La famille de son épouse appartenait également à la bonne société de New York, comme la sienne en Irlande.

Richard Montgomery ne put que réagir avec répugnance, voire avec dégoût, devant l'insolente et litigieuse insubordination des officiers et des combattants de son armée révolutionnaire à Montréal. Il avait servi une armée professionnelle et disciplinée, et il était accoutumé à une société de gentilshommes. Alors qu'il s'apprêtait à avancer vers Québec, il découvrit que plusieurs de ses hommes refusaient de le suivre. D'aucuns prétendirent que leur temps de service était expiré. D'autres se déclarèrent malades. Règle générale, ils étaient d'un esprit turbulent, parfois même mutin. Toutes les difficultés que Montgomery avait connues avec ses troupes insoumises, lors du siège de Saint-Jean, se reproduisirent à Montréal, dans un climat d'arrogance encore plus provocant. Ses subalternes le critiquaient ouvertement.

Montgomery confia ses ennuis à son officier supérieur, le major général Philip Schuyler : « Hier, un différend est survenu, écrivait-il le 24 novembre, qui aurait bien pu me faire prendre le chemin du retour. Quelques officiers se permirent de protester contre l'indulgence dont je fis preuve à l'égard de certains soldats du roi. Je ne pus souffrir un tel affront et remis ma démission sur-le-champ. Aujourd'hui, ils s'en excusèrent si bien qu'il me fut possible de reprendre mes fonctions. » Il demanda au général Schuyler si celui-ci voudrait bien prendre sa place à Montréal. « Votre santé vous permettrait-elle de séjourner à

Montréal cet hiver?» s'enquit-il. «Je dois rentrer chez moi, dussé-je longer à pied tout le lac Champlain. Je suis las d'exercer le pouvoir. La patience et la tolérance si nécessaires à une telle charge me font entièrement défaut.»

Montgomery soutenait que l'état désordonné de l'armée révolutionnaire se corrigerait seulement si ses officiers étaient gentilshommes: «Je souhaiterais que l'on puisse découvrir un moyen d'inciter les *gentlemen* à s'enrôler. Le sens de l'honneur, et une plus vaste connaissance du monde, qualités que l'on trouve chez cette classe d'hommes, contribueraient grandement à réformer la discipline et à rendre les hommes beaucoup plus traitables.»

Avant d'émigrer en Amérique, Montgomery avait été membre du *Whig Party*, il était d'allégeance libérale et réformiste. La famille de son épouse comptait parmi les meneurs du mouvement pour l'indépendance politique des colonies. Son mariage lui avait fait subir l'influence des Livingston. Il opta sans réserve pour la révolution et exprima des sentiments révolutionnaires: «La volonté d'un peuple opprimé, affirma-t-il, qui est contraint de choisir entre liberté et esclavage, doit être suivie.» Peu après les premiers soulèvements de la révolution américaine, il fut élu au Congrès et nommé brigadier général.

Une certaine amertume, toutefois, entachait à certains moments sa décision. Peut-être a-t-il ressenti, plus que la majorité des officiers révolutionnaires, la tristesse et l'ironie de tout cela. Après seize ans de loyaux services à la Couronne, en qualité d'officier, voilà qu'il combattait maintenant le même uniforme rouge qu'il avait lui-même déjà porté. Avant de quitter sa résidence de New York pour la campagne contre le Canada, assis auprès de sa femme, il méditait sur les caprices du destin. Tout à coup, d'une voix «étrangement impressionnante», il exprima son ambivalence profonde: «Ah, mes maîtres, quel monde fou!» s'exclama-t-il. «Je m'en suis déjà douté, aujourd'hui j'en suis sûr.»

Tandis que le général Montgomery avait du mal à contenir ses troupes à Montréal, le gouverneur Carleton rencontrait aussi des obstacles dans sa fuite de Montréal vers Québec. Des vents contraires avaient retardé ses navires. L'un d'eux s'était échoué. Lorsqu'ils eurent enfin levé l'ancre, ils furent confrontés à des Américains qui les avaient devancés et qui menaçaient leur passage avec des batteries côtières. Le capitaine Jean-Baptiste Bouchette accepta d'aider Carleton à franchir cette zone, de nuit, en baleinière. Sir Guy troqua son uniforme pour des vêtements simples de paysan. Au cours de la nuit, il se laissa glisser sur le flanc de son navire, avec Bouchette, un autre officier et un sergent. Embarqués en baleinière, ils amortirent leurs coups de rame. Le passage redoutable se trouvait vis-à-vis de Berthier. Les Américains campaient sur les deux rives du fleuve et leurs feux de bivouac luisaient sur l'eau. De la baleinière, Sir Guy entendait distinctement les appels des sentinelles sur la grève et l'aboiement des chiens. Ils posèrent les rames. Couchés à plat ventre dans l'embarcation, ils se mirent à pagayer avec leurs mains. La barque traversa l'obscurité moite comme un billot à la dérive. Le gouverneur Carleton atteignit Québec. Ses loyaux habitants l'accueillirent avec une « joie indicible ».

À Montréal, le quartier général de Montgomery et son état-major avaient été installés dans l'une des meilleures demeures de la ville. Il s'agissait de la grande résidence en pierre de Jean Legrand, située au coin sud-est des rues Notre-Dame et Saint-Pierre, connue plus tard sous le nom de Maison Forretier et démolie en 1940. De là, Montgomery écrivit à sa femme: « Je rassemble toute ma vertu contre les légions de femmes qui racolent pour obtenir la libération des maris, frères et fils faits prisonniers. » Il mentionna aussi à son épouse la fuite de Carleton: « Le gouverneur s'est échappé: tant pis! » Néanmoins, la flotille à bord de laquelle Carleton avait tenté de fuir, au départ, se rendit aux Américains. Montgomery s'empara des munitions et des provisions. Avec les soldats qu'il réussit à recruter, il navigua vers Québec sur ces bateaux.

À Québec, ses hommes s'unirent à ceux de Benedict Arnold. La ville fut assiégée. Pourtant, Montgomery se rendit compte qu'un siège ne suffirait pas: Carleton résisterait peut-être jusqu'au printemps. Au dégel, Montgomery affronterait l'arrivée par mer des renforts britanniques. Il savait donc qu'il devait attaquer Québec: restait à en fixer le moment. Sa décision fut contrainte, car le temps de service d'un bon nombre de ses volontaires se terminait à la fin de décembre.

Tôt le matin du 31 décembre, Montgomery déclencha son attaque, au milieu d'une poudrerie. Il avait projeté un assaut sur deux fronts, contre la basse-ville de Québec. Le colonel Arnold avancerait par le chemin du Sault-au-Matelot. De son côté, Montgomery conduirait ses hommes le long de la route venant de l'ouest, sous la grande falaise. Arnold prit l'offensive avec audace et fougue, mais il fut refoulé. Les soldats de Montgomery, progressant au bas de la falaise, parvenaient à peine à lever la tête; une rafale de vent soufflait la neige directement dans leurs visages. Plongeant dans les tourbillons, fouettés par la bourrasque, ils peinèrent jusqu'au pied du Cap Diamant. Le poste Près-de-Ville se trouvait non loin de là; il défendait la première voie menant à la basse-ville.

Cette nuit-là, le poste était occupé par environ trente miliciens canadiens et quinze marins anglais. Ils laissèrent les Américains s'approcher à moins de trente à quarante pas, puis ils firent feu de leurs six canons et d'une pluie de balles. Il y eut un remous de silhouettes indistinctes dans la neige. Puis, un mouvement de retraite affolé.

Au matin, les défenseurs sortirent constater les effets de leur tir. La neige avait enseveli tous les corps, tous à l'exception d'un bout de bras gauche, encore dressé. C'est là qu'ils découvrirent le cadavre du général Montgomery, horriblement déformé: les genoux repliés touchaient à la tête. Il était gelé dur.

Le Château
de
Ramezay

— IX —

Le gouverneur d'un hiver :

David Wooster

Pendant un hiver, celui de 1775-76, Montréal fut gouvernée par un vieil Américain irritable, le brigadier général David Wooster. Il était ennuyeux, ombrageux, impulsif, maladroit. Il mit la ville sens dessus dessous. C'était un vieux gaillard fruste et vigoureux, toujours prêt à vous servir quelques fastidieux récits de ses trente ans de service militaire. D'ordinaire plutôt grossier (quoique diplômé de Yale), il s'avérait parfois d'une habileté diabolique.

Wooster fut désigné pour diriger Montréal dès sa conquête en novembre 1775 par le major général Richard Montgomery, alors que ce dernier était allé se joindre au colonel Benedict Arnold pour assiéger Québec. De son quartier général établi dans le château de Ramezay (ce vieux bâtiment de pierre toujours situé sur Notre-Dame), le général Wooster devait régir Montréal au nom du Congrès. Il fut investi d'une autorité considérable car Montréal, cet hiver-là, vécut sous la tutelle américaine et fut gouverné en vertu de la jeune révolution.

La nomination du général Wooster se révéla une catastrophe. Le poste de gouverneur de Montréal, fort difficile, exigeait une finesse de diplomate. Loin d'être un tyran, le gouverneur se devait d'être un homme de bonne volonté et de faire appel à la coopération. Le Congrès ne souhaitait pas donner l'impression qu'il envahissait le Canada comme un conquérant. Il voulait que ses soldats se présentent en libérateurs, venus au Canada pour affranchir le peuple du joug britannique et pour l'inviter à s'unir à toutes les autres colonies nord-américaines, pour servir la grande cause de l'Indépendance. Cet appel à la coopération devait s'adresser tout particulièrement aux Canadiens français. Ce serait l'occasion pour eux de se libérer de la Couronne britannique, comme de toute monarchie.

À l'arrivée de David Wooster, l'espoir d'avoir une administration éclairée à Montréal s'évanouit. Découragé, un membre du Congrès américain, Silas Deane, écrivit à sa femme: «... quand Wooster fut nommé, je m'en suis lavé les mains, l'estimant tout à fait inapte à assumer cette fonction.»

Ses doutes ne tardèrent pas à se confirmer. Wooster n'avait pas renoncé à ses anciens préjugés, notamment une antipathie envers l'Église catholique. Il eut tôt fait de constater que le clergé de Montréal déployait toute son influence contre les Américains et la révolution. L'évêque, monseigneur Jean-Olivier Briand, avait rappelé à ses ouailles qu'ils devaient être reconnaissants envers le gouvernement britannique pour les garanties exceptionnelles qui avaient été accordées aux Canadiens français et à leur Église. Il les convia à s'unir pour repousser l'ennemi envahisseur. «Le clergé, protestait Wooster, refuse l'absolution à ceux qui nous ont montré de la sympathie et prédit l'enfer à tous ceux qui refusent de prendre les armes contre nous.»

Wooster ne fit qu'envenimer une situation précaire. Pendant qu'il avait été gouverneur à Montréal, le général Montgomery s'était bien rendu compte que l'Église travaillait contre lui. Mais il préféra l'ignorer, espérant qu'avec le temps, et grâce à une attitude conciliante, le clergé serait amené à voir l'indépendance des colonies sous un meilleur jour. Le général Wooster n'eut pas cette patience. Il déclara la guerre au principal représentant de l'autorité religieuse à Montréal, M. Étienne de Montgolfier, supérieur des Sulpiciens et vicaire général. Il chargea James Price, l'un des plus chauds partisans de la révolution à Montréal, de rencontrer M. de Montgolfier au séminaire des Sulpiciens (ce même bâtiment, le plus ancien de Montréal, que l'on peut toujours apercevoir, place d'Armes, à l'ouest de l'église Notre-Dame). Price exigea que de nouvelles directives soient données au clergé. Montgolfier refusa. Le général Wooster annonça alors qu'il condamnerait le vicaire général, ainsi que certains autres religieux, à l'exil dans les colonies américaines du sud. Madame Price intercéda. On épargna au vicaire général et à ses prêtres l'affront d'être chassés de leur pays. Mais désormais, ils furent mal à leur aise, sachant de quoi Wooster était capable. Un document mentionne qu'il fit fermer toutes les églises catholiques la veille de Noël, afin d'empêcher la célébration traditionnelle de la messe de minuit.

Par sa maladresse, le général Wooster remit au clergé une arme puissante contre lui. Il fit parvenir au Congrès une dépêche exprimant sa triste opinion des Canadiens français en tant que peuple. « Il y a, disait-il, peu de confiance à faire aux Canadiens; ils se distinguent à peine des sauvages. » Une copie de cette missive tomba entre les mains des Britanniques. Ces derniers la transmirent à M. de Montgolfier, à Montréal. Celui-ci la communiqua aux prêtres, qui en répandirent le contenu par toutes les paroisses. La dépêche de Wooster, dirent-ils, dévoilait ce que ces « libérateurs » américains pensaient vraiment du peuple canadien-français.

Le général Wooster ne se contenta pas d'opprimer le clergé; se croyant entouré de *Tories* conspirateurs, il était résolu à prendre des mesures draconiennes. Il fit expédier à Albany quarante traîneaux bondés de *Tories* révoltés. C'était un geste impitoyable, surtout par un hiver cinglant. De plus, toute la population de Montréal vécut dans l'angoisse. Ces *Tories* n'avaient été inculpés d'aucun crime. Wooster n'avait fait que les accuser d'une « conduite déloyale ». Qui pouvait se croire en sûreté, lorsque des accusations aussi vagues pouvaient mener à l'exil?

Une délégation se rendit auprès de Wooster, afin de protester. Il leur coupa l'herbe sous le pied. « Je considère toute votre bande comme des ennemis et des canailles », leur lança-t-il. Le juge John Fraser adressa au Général une lettre de remontrance. Cette lettre, circonspecte et respectueuse, avait été formulée avec soin. La riposte, au contraire, fut féroce. Wooster condamna « l'insolente lettre » du juge; ce dernier, disait-il, méritait à bon droit les chaînes du criminel. Fraser fut averti sur réception de cette réplique qu'il devrait se préparer à être escorté au fort de Chambly, « où il demeurerait en résidence surveillée jusqu'à nouvel ordre. » Le juge Fraser resta prisonnier au fort pendant cinq semaines. Puis il fut déporté à Albany. À son arrivée, il découvrit qu'on ne portait aucune accusation spécifique contre lui. Entre temps, malgré la fragilité de sa santé, l'épouse du juge était également tenue en résidence surveillée à Montréal.

La terreur s'installa à Montréal. Dur, instable, fruste, le vieil homme du château de Ramezay était imprévisible. Il agissait par impulsions violentes. Il somma le peuple de ne pas discuter des affaires américaines, voire de n'en faire aucune mention. Un avis fut cloué sur toutes les portes d'églises: quiconque serait soupçonné de tramer contre les Américains se verrait passible d'être « sévèrement puni, emprisonné, et même éloigné de la province ».

Il ne suffisait pas au Général de persécuter tous et chacun à Montréal; il se querellait aussi avec ses officiers supérieurs de l'armée révolutionnaire. Lorsque la révolution éclata, il était l'aîné des généraux nommés par le Congrès. Il avait déjà soixante-quatre ans. Peu d'officiers de l'armée américaine n'avaient connu un état de service militaire aussi prolongé: Wooster était soldat depuis 1741. Malheureusement, il croyait que la durée de service et l'expérience des guerres passées pesaient plus lourd que les talents des plus jeunes militaires. Compte tenu de son ancienneté, il détestait être affecté à des postes qui le subordonnaient à des commandants moins âgés que lui. Dès le départ, il supporta mal les nombreuses promotions au rang de major général accordées par le Congrès, alors qu'il avait reçu, lui, le grade odieusement inférieur de brigadier général.

Envoyé au Canada, Wooster était sous l'autorité du major général Philip Schuyler de New York, commandant du front septentrional. Il commença derechef à se disputer avec Schuyler. Pour un temps, le climat d'animosité se détendit grâce à l'entrée en scène du major général Richard Montgomery. Avec tact et indulgence, celui-ci servit de tampon entre les deux antagonistes. Lorsque Montgomery mourut lors de l'assaut sur Québec, Wooster reprit sa querelle avec Schuyler. Quand ce dernier lui transmit ses directives depuis New York, Wooster répliqua qu'il ferait ce que bon lui semblerait, puisqu'il se trouvait au Canada et qu'il était le mieux placé pour décider du régime de l'armée et de la sécurité immédiate du pays.

Wooster ne se limita pas à écrire des lettres abruptes et provocatrices à son commandant; il passa outre à son autorité. Parfois, il adressa ses plaintes directement au Congrès. « Au nom du Ciel, je ne vois pas la raison, écrivait-il au Congrès, pour laquelle il me soumet à un traitement aussi cavalier, si ce n'est que pour céder aux caprices de son humeur, car il s'y est complu sans vergogne au cours de la dernière année. » Le général Schuyler supportait de moins en moins l'arrogance de Wooster. « L'un de nous deux doit renoncer à l'armée sur-le-champ », déclara-t-il. Ils n'y renoncèrent ni l'un ni l'autre, et n'y furent pas invités non plus. Ce perpétuel conflit entre les deux dirigeants devint public, minant la discipline des militaires, discipline déjà fort pitoyable.

Malgré ses manières rébarbatives, David Wooster était effectivement confronté à des harcèlements que l'on ne pouvait percevoir à distance. En qualité de commandant à Montréal, il ne disposait que d'environ cinq cents hommes pour administrer un territoire vaste et tumultueux. Il était cerné d'ennemis dont l'hostilité croissait à mesure que les Américains devaient confisquer des vivres et des biens dont ils avaient besoin mais qu'ils ne pouvaient payer. Le Congrès lui avait confié peu d'argent liquide, et seules les espèces sonnantes comptaient au Canada, la valeur du papier-monnaie émis par le Congrès n'ayant pas été reconnue. Le séjour de Wooster et de son armée à Montréal était financé par James Price, marchand montréalais animé de sentiments révolutionnaires. Mais les ressources de Price s'épuisaient.

Le général Wooster dut faire face à un dilemme nouveau et plus crucial encore: la mort de Montgomery. Il devenait de ce fait l'officier américain au grade le plus élevé de tout le Canada. Que devait-il faire? Demeurer à Montréal? Ou partir commander le siège de Québec?

Des appels pressants arrivaient de Québec, de la part de Benedict Arnold. « Pour l'amour de Dieu, s'écriait Arnold, dépêchez-nous autant d'hommes dont vous pourrez disposer sans nuire à la sécurité de Montréal. » Wooster se rendit compte qu'il était dans une situation « fort critique et dangereuse ». Envoyer des soldats de Montréal pour renforcer l'armée devant Québec risquait d'affaiblir Montréal, et de la laisser retomber aux mains des Britanniques. Ce serait là un double désastre. Montréal serait perdue et les troupes américaines à Québec se verraient coupées de leur voie de retraite en amont du Saint-Laurent. « Montréal, estimait-il, doit être protégée en vue de la retraite. » L'étroitesse d'esprit de David Wooster procédait d'un certain réalisme terre-à-terre. Il n'avait rien à faire des visions exaltées et romantiques. Il lui paraissait évident qu'aucune dose de ferveur patriotique ne mériterait aux Américains la victoire au Canada. Les illusions devaient être dissipées. Si le Congrès comptait véritablement conquérir Québec, ou encore y maintenir le siège, il devait accorder plus d'hommes et de capitaux. Or, il était convaincu que le Congrès n'enverrait ni l'un ni l'autre. Quant à lui, il n'aspirait nullement au martyre. Si l'on affaiblissait la mainmise militaire sur Montréal, les Américains sur place couraient le risque d'être «éventuellement tous sacrifiés».

Il envoya d'abord à Arnold un minimum vital de secours, tout en demeurant à Montréal. Au fil des jours, il dut convenir que sa décision, si raisonnable fût-elle, finirait par le desservir. Québec restait le principal champ d'action, le coeur du combat. Il paraîtrait sans doute étrange que le principal commandant américain au Canada languisse loin derrière le front. Finalement, il parut à Québec.

La présence de Benedict Arnold provoqua tout de suite son ressentiment. Il refusa même de le consulter au sujet de ses plans. Arnold comprit vite l'inutilité de sa présence auprès d'un commandant aussi chicanier et pointilleux. Il s'était blessé à la jambe lors d'une chute de son cheval. Cette blessure lui fournit un prétexte suffisant pour se retirer à Montréal. Wooster, nous dit Arnold, « s'est empressé de me donner congé ».

Le général Wooster s'affairait autour de Québec quand sa suffisance et son orgueil se blessèrent à nouveau. Le 6 mars 1776, le Congrès nomma un officier à la tête de toutes les forces américaines au Canada. Il s'agissait de John Thomas, promu major général avant son départ. Bouillant d'amertume, Wooster redevenait, une fois de plus, un brigadier général subalterne. Il ne resterait pas plus longtemps au Canada. Lorsque Thomas parut, et opta pour la retraite, Wooster partit à la hâte avec tous ses bagages. Mais un caprice du destin allait le reporter au poste de commande le plus prestigieux au Canada: le fléau de la petite vérole affligea les Américains alors qu'ils battaient en retraite; Thomas y succomba également. Wooster reprit donc ses anciennes fonctions.

Entre temps, dans un ultime effort pour remédier à la situation difficile au Canada, le Congrès avait délégué au nord de la frontière une commission spéciale présidée par Benjamin Franklin. Les commissaires arrivèrent trop tard pour que leurs recommandations servent à quelque chose. Mais l'une d'elles avait été formulée avec vigueur: «À notre avis, le général Wooster est inapte — absolument inapte — à commander votre armée et à mener cette guerre... Sa présence dans la colonie n'est pas nécessaire, et elle est même préjudiciable à nos intérêts. Par conséquent, nous recommandons humblement son rappel.»

Le Congrès exécuta cette recommandation avec célérité. Wooster fut rappelé du Canada. Il partit en s'élevant contre cette humiliation et réclamant l'ouverture d'une enquête sur sa conduite. Un comité du Congrès l'exonéra de tout blâme; une distinction raffinée entre incompétence et culpabilité joua pour lui. Mais Wooster passa de l'armée régulière à la milice du Connecticut.

David Wooster s'acquitta d'un dernier exploit. Les Britanniques envahirent le Connecticut par mer, en 1777. Ils avancèrent vers l'intérieur, sur trente-trois milles, afin d'incendier les réserves militaires du Congrès, à Danbury. Comme ils se retiraient, le vieux Wooster, alors à sa soixante-huitième année, entraîna 200 miliciens du Connecticut à harceler l'arrière-garde anglaise. Il poussa l'attaque avec fougue et brio. Puis, ses hommes fléchirent. Il s'avança pour leur redonner courage. Une balle de mousquet le terrassa et il tomba du haut de son cheval. Il vécut tout juste assez longtemps pour permettre à sa femme et à son fils d'accourir à son chevet, de New Haven.

Le général George Washington fit un jour cette remarque: « On m'informe que le général Wooster n'a pas la trempe voulue pour triompher de difficultés. » Cela s'était vérifié au Canada. Mais à la toute fin, Wooster fit preuve de courage et de vigueur.

Le Congrès décida, aux voix, de lui élever un monument, à titre de défenseur des libertés américaines. Mais ce projet ne se réalisa jamais. Le Congrès tergiversait, car il arrivait difficilement à oublier le rappel du Général, alors qu'on l'avait jugé « absolument inapte » à commander. Le despotisme de Wooster en tant que gouverneur américain à Montréal avait effectivement sapé la confiance des Canadiens quant à l'appel lancé par George Washington: « Venez donc, mes frères, joignez-vous à nous dans une indissoluble union, courons ensemble vers un même but. » Rares étaient les Montréalais qui auraient voulu courir, où que ce fût, en compagnie de David Wooster, durant l'hiver 1775-76.

La Maison du Calvet

— X —

L'échec d'un grand diplomate:

Benjamin Franklin

Lorsqu'il se mit en route pour Montréal, au début du printemps glacial de 1776, Benjamin Franklin était un homme vieillissant et mal portant. Il n'était pas à mi-chemin qu'il doutait déjà d'arriver sain et sauf à destination. Lorsqu'il parvint à Saratoga, et qu'il trouva la ville sous six pouces de neige, il écrivit une lettre d'adieu à Josiah Quincy: « Me voici en route vers le Canada, mais je suis retardé par l'état actuel des lacs, dont la glace bien prise paralyse toute navigation. Je commence à craindre d'avoir entrepris une tâche qui, à ce stade de ma vie, pourrait se révéler au-dessus de mes forces; c'est pourquoi je m'arrête un moment pour écrire à quelques amis en guise d'adieu. »

Le sentiment du devoir, chez Franklin, avait prévalu contre la réticence à entreprendre ce voyage. Après ses premiers succès, l'invasion du Canada par les forces de la révolution américaine se trouvait maintenant dans l'impasse. En haillons, les soldats américains étaient sans salaire et démoralisés; le prestige du Congrès déclinait au Canada; même ceux qui avaient pu faire preuve d'amitié ou d'entraide se montraient de plus en plus méfiants, distants ou hostiles. Il fallait agir, et en vitesse, pour redorer le blason des envahisseurs américains; on ressentait également un grand besoin de finesse diplomatique pour amener les Canadiens à apprécier les avantages de l'indépendance. Le simple fait qu'une telle mission parut presque désespérée lui conférait un caractère d'autant plus urgent qu'elle serait peut-être le dernier recours pour faire du Canada la quatorzième colonie de la révolution américaine.

Parce qu'il avait lui-même recommandé une telle démarche, Benjamin Franklin s'en vit aussitôt chargé. Le 14 février, il avait soumis un mémoire au Congrès, à titre de président du comité des Affaires étrangères. Rédigé de sa main, ce mémoire exposait comment le clergé et la noblesse avaient détourné le peuple canadien-français de la révolution pour protéger leurs propres intérêts. Le Congrès devait envoyer des agents au Canada dans le but d'expliquer plus clairement les principes révolutionnaires. Il fallait convaincre les Canadiens français que la liberté valait mieux que la soumission à une autorité arbitraire.

Tout en avalisant les recommandations du mémoire de Franklin, le Congrès fit aussitôt appel à ses services pour lancer la campagne. Il était le diplomate le plus éloquent de la révolution. Qui saurait mieux que lui renverser la situation au Canada? Franklin mesura la difficulté d'un refus. Si le Canada échappait à la révolution, on se perdrait à jamais en conjectures sur ce qui aurait pu advenir s'il s'y était rendu. Il consentit à partir, sachant bien que cela pourrait lui coûter la vie. Il avait atteint sa soixante-dixième année. Il souffrait cruellement de la goutte, et de plusieurs autres maux. Il démissionna de ses fonctions au Congrès ainsi que de l'Assemblée. Il motiva ainsi son geste: «Je me ferais une joie de servir équitablement le public dans chacune de ces fonctions; mais à mon âge, je ne me sens plus de taille devant une pareille tâche, et à cause de cela, je crois de mon devoir de décliner une part de ces lourdes responsabilités.» S'il se sentait incapable de tant d'activité au Congrès, il éprouvait d'autant plus vivement son inaptitude à franchir le pays de neige et de glace qui menait au Canada, pour aller mettre bon ordre au chaos. Pourtant, il se mit en route, adressant des mots d'adieu à ses amis, tout au long du parcours.

À l'occasion de sa mission à Montréal, Franklin reçut du Congrès une autorité immense, et des pouvoirs presque absolus. Il serait arbitre, tant pour les affaires militaires que civiles. Les buts qu'il viserait découlaient de son propre mémoire au Congrès: les Canadiens devaient être convaincus, avec diplomatie, que les Américains avaient envahi leur territoire dans l'unique dessein de les libérer. Ils seraient autorisés à instaurer la forme de gouvernement qu'ils jugeraient la plus favorable à leur épanouissement. Franklin devait leur assurer, en termes clairs, que les Américains désiraient sincèrement les accueillir dans leur union en tant que colonie soeur.

Franklin ne fut pas délégué seul au Canada. Il dirigeait une commission dont l'un des membres serait Samuel Chase, partisan hardi et empressé de la révolution américaine. Lorsqu'il fut élu député de l'assemblée législative du Maryland, aux premiers jours de la colonie, il avait mené l'opposition face au gouverneur royal. Quand des émeutes se déclenchèrent contre le *Stamp Act*, il joua un rôle de premier plan. Naturellement, il fut délégué au premier Congrès continental de 1774. Il fut même un précurseur de la Déclaration d'indépendance, car il prononça en quelque sorte la sienne, lorsqu'il proclama que « devant Dieu et le ciel, je ne dois aucune fidélité au roi de Grande-Bretagne. » En choisissant les commissaires qui accompagneraient Franklin à Montréal, le Congrès savait qu'il pouvait faire une entière confiance à Samuel Chase. Aussi ce dernier s'empressa-t-il d'accepter.

Le second commissaire était Charles Carroll of Carollton, dont la signature, comme celle de Samuel Chase, figure sur la Déclaration d'indépendance. (Il avait coutume d'ajouter « of Carollton » à son nom pour se distinguer de son père, originaire d'Annapolis). Ce fut John Adams (successeur de George Washington à la présidence des États-Unis) qui fit valoir les aptitudes de Charles Carroll pour cette mission. Il le décrivit comme « un gentleman de fortune personnelle, peut-être la plus opulente de tout le continent... de formation universitaire française, quoique natif d'Amérique; doué de talents innombrables, d'une grande culture, parfait francophone, il est de foi catholique tout en demeurant un ardent, ferme et zélé défenseur des droits de l'Amérique, cause pour laquelle il a risqué tout. »

Tels étaient les commissaires. Pour améliorer les chances de réussite de cette mission, le Congrès nomma en tant que membre auxiliaire un prêtre jésuite, le père Carroll (cousin de Charles Carroll). John Adams qualifia la nomination du père Carroll de « coup de maître ». Puisqu'il était prêtre, il pourrait consacrer son temps de service auprès du clergé de Montréal, l'amenant à envisager la révolution sous un éclairage plus favorable. Ses qualités impressionnaient: jésuite d'un aspect docte et noble, formé au fin discours et aux manières suaves, et (à l'instar de son cousin) parlant couramment le français, car il avait reçu son éducation en France.

Le Congrès désigna également un membre militaire, un certain baron de Woedtke, jadis officier supérieur de l'armée de Frédéric Le Grand. Il avait quitté la Prusse par suite d'une rupture avec l'empereur, et avait offert ses services au Congrès. On lui remit un décret l'élevant au rang de brigadier général. Le Baron maîtrisait aussi la langue française.

Franklin et ses collègues firent un pénible voyage à Montréal. Peu après avoir quitté New York, le 2 avril, alors qu'ils faisaient voile sur l'Hudson, ils furent surpris par une bourrasque qui faillit les projeter contre des récifs. La grand-voile se fendit et l'on mit une journée à la réparer. À une autre étape, ils durent voyager en bateaux à fond plat, se frayant un passage à travers les glaces flottantes. De temps en temps, ils gagnaient la côte pour se réchauffer autour d'un feu et pour faire cuire leurs repas. La nuit, Franklin dormait à bord d'un chaland, sans autre protection qu'une bâche. Quand ils se déplaçaient en charrette, ils cahotaient durement, à cause des profondes ornières du chemin. « Les routes, à cette saison de l'année, sont généralement mauvaises, écrivait Charles Carroll dans son journal, mais elles sont maintenant pires que jamais, vu le grand nombre de fourgons qui servent à transporter le matériel des régiments... »

Le 27 avril, vingt-cinq jours suivant le départ de New York, ils atteignirent enfin Saint-Jean-sur-le-Richelieu. Épuisés, ils avaient tous froid et faim, mais Montréal n'était plus qu'à vingt-sept milles. Des voitures de type canadien, ces « calèches » à deux énormes roues, avaient été commandées de Montréal. « Je n'ai jamais voyagé sur de pires chemins ni dans de pires voitures », se plaignait Charles Carroll. À trois ou quatre milles de Laprairie, ils commencèrent à entrevoir Montréal. Parvenus à la rive sud du Saint-Laurent, à Laprairie même, ils contemplèrent, immobiles, l'autre berge du fleuve. « À La Prairie, notait Carroll dans son journal, le coup d'oeil de la ville et du fleuve, et de l'île de Montréal... offrent une belle perspective. »

Lorsqu'ils accostèrent à Montréal, ils furent reçus au débarcadère « d'une façon des plus amicales et des plus polies » par Benedict Arnold, alors brigadier général et gouverneur de Montréal. Arnold les conduisit à son quartier général, aménagé au château de Ramezay, rue Notre-Dame, pendant qu'un canon de la citadelle faisait retentir un salut. L'hospitalité de Benedict Arnold est décrite par le père John Carroll dans une lettre à sa mère : « À la résidence du général, on nous servit un verre de vin, pendant que de nombreuses personnes accouraient nous présenter leurs hommages ; après cette réception, on nous introduisit dans une autre pièce où nous fûmes présentés, inopinément, à un grand nombre de dames, françaises pour la plupart. Ayant pris le thé et bavardé quelque peu, nous nous rendîmes à un élégant souper, qui fut suivi d'un récital en choeur de ces dames, qui s'avéra fort aimable, et qui l'aurait été davantage, n'eût été la grande fatigue du voyage. » À la fin des divertissements de la soirée, d'une « gaieté bienséante », le général Arnold les accompagna au lieu de leur hébergement, le splendide domicile de Thomas Walker, partisan fort acharné de la révolution à Montréal.

Dès le lendemain, Benjamin Franklin se mit au travail, en dépit des nombreux visiteurs à recevoir et d'un dîner « en abondante compagnie ». Il siégea à un conseil de guerre au château de Ramezay et commença à formuler sa vision de l'avenir américain au Canada. La principale difficulté apparut aussitôt : les Américains au Canada n'avaient pas d'argent comptant, et sans cet argent, ne pouvaient rien entreprendre. Tant qu'elles ne seraient pas rémunérées, les troupes résisteraient à toute discipline. On ne pourrait non plus espérer recruter parmi les Canadiens, tant et aussi longtemps qu'ils ne recevraient pas eux aussi l'assurance d'être payés.

Les Américains ne pouvaient pas acheter de ravitaillement. Ils devaient confisquer, avec plus ou moins de violence, ce dont ils avaient besoin. Ils étaient considérés comme des voleurs, et détestés en tant que tels. Arrivés au Canada en libérateurs, ils y languissaient maintenant en oppresseurs. Le Congrès n'avait aucun statut au Canada. Son papier-monnaie, inconvertible en or ou en argent, était un objet de risée. Franklin en fournit un exemple : les Américains à Montréal avaient éprouvé des difficultés à lui envoyer les calèches qui l'avaient transporté, lui et ses commissaires, à partir de Saint-Jean. Personne ne voulait accepter le dollar américain. Rien ne put s'arranger tant qu'un partisan de la cause ne consentît à échanger le billet contre de l'argent ou de l'or.

Les commissaires tentèrent d'emprunter des fonds, mais ni leur crédit, ni celui du trésor public américain, n'étaient reconnus. Franklin avança 353 livres de son or personnel. Ce n'était qu'une somme insignifiante, en regard des besoins. Les commissaires en appelèrent au Congrès, pour qu'il leur fît parvenir 20 000 livres avec « la plus extrême diligence ». Et ils ajoutaient : « Grâce à ce subside, et avec un peu de succès, il sera peut-être possible de recouvrer l'affection du peuple, de le lier fermement à notre cause, de l'induire à accepter un gouvernement libre, voire de prendre part à notre union. » Le Congrès fit ce qu'il put. Mais son trésor ne contenait même pas le douzième du montant réclamé par les commissaires.

Franklin vit que son prestige personnel et le mandat du Congrès resteraient sans effet à Montréal, en l'absence d'espèces sonnantes. La population avait cru qu'il leur apporterait une importante somme en argent et en or. Aussitôt qu'elle apprit qu'il ne détenait rien de plus substantiel que son prestige et son autorité, elle tourna le dos au diplomate, et le dépouilla justement de son autorité et de son prestige.

Par ailleurs, les commissaires affrontaient des problèmes d'un autre ordre. Ils essayaient de réparer le tort causé pendant l'hiver par le brigadier général David Wooster, alors qu'il gouvernait Montréal au nom du Congrès. L'administration de Wooster, âpre et tyrannique, avait donné un goût amer aux bénéfices de la libération, bénéfices que les envahisseurs américains étaient censés apporter au peuple canadien. Les commissaires se sentirent obligés de redorer le blason américain. Ils parvinrent à faire libérer quelques-uns des *Tories* influents de Montréal, exilés par Wooster à Albany.

Cette politique de tolérance et de réconciliation mit en fureur le groupuscule montréalais qui s'était compromis, spontanément et ouvertement, en faveur de la révolution, et qui s'était donc exposé à la défaite. Ces partisans accusèrent les mandataires du Congrès de se montrer plus soucieux du sort des *Tories* que de celui des « vrais fils de la liberté ». Les commissaires répliquèrent qu'ils refusaient « de faire le Mal au nom du Bien ». C'était une « injustice considérable » que d'arracher un homme à sa femme et les siens pour l'envoyer en exil à plus de cent milles de chez lui et cela, sans raison déterminée, si ce n'est qu'il se trouvait (comme bien d'autres) dans l'autre camp. Et ils ajoutèrent : « une cause qui ne peut être soutenue à partir des principes de la liberté, n'est pas digne d'être défendue. » C'est pourquoi ils étendirent leur clémence aux commerçants, leur permettant de renouer contact avec les postes de l'ouest, ainsi qu'aux officiers miliciens, les libérant du fort Chambly alors qu'ils y avaient été confinés par le général Wooster, pour avoir refusé de démissionner de la milice.

Chaque sursis et chaque allègement de peine accordé par les commissaires aux *Tories,* ne fit qu'exciter une rage plus outrée chez les patriotes pro-révolutionnaires de Montréal. Ils étaient loin d'être disposés à laisser absoudre leurs adversaires en vertu de principes abstraits, au moment même où la lutte pour le Canada devenait critique. Ils s'en prirent aux commissaires et les accusèrent de «prendre conseil auprès des *Tories*». Les délégués rétorquèrent qu'ils ne consultaient personne, qu'ils étaient de taille à remplir leur mandat et, qu'à défaut d'avoir satisfait leurs amis, ils avaient agi selon leur conscience et que personne n'était autorisé à remettre en cause la validité de leurs actes. Cette manière d'invoquer l'autorité supérieure accordée à la commission par le Congrès contraria fort les partisans de la révolution au Canada, tous devenus officiers militaires américains. À Montréal, certains piétinèrent leur brevet militaire et déclarèrent qu'ils ne serviraient pas sous des chefs aussi perfides. À Saint-Jean, un officier alla jusqu'à maudire Samuel Chase en sa présence. Chase l'ayant prié d'accepter un important commandement, il rétorqua qu'«il ne tirerait plus un coup de feu pour le Congrès, *jusqu'à ce que ses officiers et ses soldats ne jouissent des mêmes privilèges que ses ennemis*».

Entre temps, l'associé jésuite de Franklin, le père John Carroll, s'était mis à la tâche de garantir un meilleur avenir au clergé catholique de Montréal, à la condition qu'il se soumette à un gouvernement indépendant et de type républicain. Mais le père Carroll se heurta à des portes closes. L'évêque, Monseigneur Jean-Olivier Briand, avait mis son clergé en garde contre ce révolutionnaire du sud. Seule la maison des Jésuites, établie du côté nord de la rue Notre-Dame (site occupé aujourd'hui par l'aile est de l'ancien palais de justice et par la place Vauquelin), accepta de le recevoir. Il dîna, au moins une fois, en compagnie des Jésuites, quoique les entretiens à table n'aient porté, semble-t-il, que sur des généralités d'ordre social. L'interdiction à son endroit fut suffisamment adoucie par le vicaire général de Montréal, M. Étienne Montgolfier, pour lui permettre de célébrer la messe à la chapelle des Jésuites.

Le père Carroll, toutefois, n'était pas monté à Montréal pour converser de choses et d'autres à table, ni pour dire la messe. Il avait hâte d'en venir aux discussions politiques. Or ces débats, ne pouvaient qu'avoir lieu dans le plus grand secret. On fit le nécessaire pour tenir ces pourparlers: l'endroit convenu était un jardin. Ce jardin existe encore de nos jours: il se trouve derrière l'imposante maison de pierre située à l'angle nord-est des rues Saint-Paul et Bonsecours. Ce lieu fut choisi, au printemps de 1776, à cause du propriétaire de la maison, Pierre du Calvet;

c'était un révolutionnaire clandestin, un homme à l'esprit retors qui tentait de présenter une façade loyale aux Britanniques alors qu'il se ralliait secrètement aux Américains.

Donc, dans le jardin du Calvet, le père Carroll rencontra quelques membres du clergé catholique de Montréal, pour leur soumettre ses arguments. Mais aussitôt, une réfutation implacable annula tous ses talents oratoires. On lui apprit qu'en vertu de l'Acte de Québec de 1774, le gouvernement britannique avait concédé tous leurs droits et privilèges essentiels aux catholiques. Pouvaient-ils en attendre autant d'un mouvement révolutionnaire imprévisible? Du reste, comment oublier qu'à la veille de la révolution, le premier Congrès continental de 1774 avait condamné l'Acte de Québec, le qualifiant d'« injuste et cruel, de même qu'anticonstitutionnel, acte des plus destructeurs et menaçants pour les droits américains. » Pourquoi les catholiques de Montréal seraient-ils tenus de croire qu'en un bref intervalle de deux ans les dirigeants de la Révolution avaient fait volte-face?

Ils soumirent d'autres faits à l'attention du père Carroll. Dans maintes colonies du sud, on allait jusqu'à déconseiller d'héberger un catholique; seuls le Maryland et la Pennsylvanie toléraient les catholiques. Ces derniers ne jouissaient de tous leurs droits qu'en Pennsylvanie. En fait, les catholiques montréalais n'avaient même pas à franchir la frontière pour citer des cas de persécution. Dans leur propre ville, au cours du dernier hiver, n'avaient-ils pas souffert d'intolérance religieuse, alors que le général Wooster injuriait l'Église, et cherchait même à intimider le haut clergé par des menaces d'exil?

Le père Carroll n'en fit pas moins de son mieux pour convaincre les catholiques que le Congrès était digne de foi et qu'il garantirait leurs droits. Mais il dut reconnaître l'échec de ses rencontres secrètes au jardin de Pierre du Calvet. Des scrupules de conscience commençaient à le troubler. Il doutait maintenant de la moralité de sa démarche: fallait-il exhorter un peuple à la révolution, alors qu'il vivait dans une harmonie relative avec son gouvernement actuel? Il fut, en outre, étonné de l'envergure des égards prodigués par les autorités britanniques aux catholiques de Montréal. Elles avaient même mis à la disposition des fidèles « une escorte militaire pour accompagner la grande procession de la Fête-Dieu ».

Benjamin Franklin décida bientôt de se retirer de Montréal. Le Congrès lui avait confié une mission sans issue. Il serait resté s'il avait perçu la moindre lueur d'espoir, mais il avait épuisé toutes ses ressources. Les autres délégués étaient entièrement d'accord avec ses conclusions. Charles Carroll et Samuel Chase s'étaient appliqués, lors de multiples déplacements, à vérifier les installations de défense et à discuter de la situation militaire. Ils recommandèrent le renforcement de certains postes autour de Montréal, pour assurer la retraite américaine.

Le premier mai 1776, Franklin et ses collègues firent parvenir leur premier compte rendu au Congrès. Ils ne se trouvaient à Montréal que depuis deux jours, mais cela avait suffi pour constater la méfiance qu'inspirait le Congrès à la population. Il planait le « sentiment général que les Américains seraient boutés hors du Canada dès l'arrivée des troupes du roi ». Les Canadiens en étaient réduits « à déclarer le Congrès en faillite et la cause américaine, désespérée ». Si le rapport initial du premier mai était sombre, le second, du 6 mai, se voulut décisif. Il réclamait, avec instance, que l'on reconnaisse la défaite. « Vous verrez..., soulignait le rapport, que vos représentants eux-mêmes se trouvent dans une position des plus critiques et ingrates, harcelés par d'incessantes requêtes, petites et grandes, auxquelles ils ne peuvent accéder, dans un lieu où notre cause connaît une majorité d'ennemis. Notre garnison est affaiblie mais des renforts ne feraient qu'accroître nos peines, vu le manque de fonds. Bref, si nous n'avons pu recueillir la somme nécessaire pour soutenir honorablement notre armée... plutôt que de laisser le peuple la détester, nous déclarons, avec fermeté et unanimité, qu'il est préférable de la rappeler immédiatement. »

La fin était imminente. Pendant que Franklin et ses collègues rédigeaient leur rapport au château de Ramezay, une escadre de la marine royale, avec le bâtiment *H.M.S. Surprise* à sa tête, remontait le cours du Saint-Laurent en direction de Québec. Le 10 mai, la nouvelle se répandit à Montréal: cinq vaisseaux de guerre avaient déjà atteint Québec, et quinze autres naviguaient au large. Les troupes américaines avaient levé le siège et se repliaient en déroute sur Montréal. Les commissaires transmirent ces informations au général Philip Schuyler, à New York. « Nous craignons, lui dirent-ils, qu'il ne sera pas en notre pouvoir de servir davantage notre patrie en cette colonie. »

Franklin avait des motifs personnels de souhaiter un départ au plus tôt: sa santé déclinait. Des furoncles l'affligeaient; ses jambes enflaient; il redoutait une hydropisie. Le 11 mai, il décida subitement de partir. Le père Carroll partit aussi afin de veiller sur lui. Péniblement, Franklin fit route vers Albany, puis vers New York. Sa maladie l'accablait; il était exténué et souffrant. Samuel Chase et Charles Carroll prolongèrent encore, de quelques semaines, leur séjour au Canada. Ils tinrent des conseils de guerre avec généraux et officiers supérieurs. Mais ces délibérations voyaient surtout à « mettre tout en oeuvre pour organiser la retraite du Canada ». Le premier juin, ils quittèrent Saint-Jean et rentrèrent. Ils furent reçus par le général George Washington. Fort éloigné du Canada, Washington concevait difficilement les conditions de vie de ce pays. Suite à sa conversation avec Chase et Carroll, il fit cette remarque à John Hancock : « Leur compte rendu... ne vous a sûrement pas plus étonné que moi. »

Benjamin Franklin se remit de l'épuisement que lui valut sa vaine mission à Montréal. Il la commentait maintenant avec une certaine ironie: « Le Canada, disait-il, où pendant une quinzaine, je fus une manière de gouverneur (et un assez bon gouverneur, ma foi). »

Cependant la mission de Franklin à Montréal ne s'avéra pas stérile. Elle mena à quelques résultats fortuits, dont l'établissement du métier d'imprimeur à Montréal, et la nomination du premier évêque catholique aux États-Unis.

Lorsque Franklin fut envoyé au nord de la frontière, au printemps 1776, le Congrès l'avait chargé « d'y instaurer une presse libre et de veiller à la publication d'articles qui pourraient s'avérer utiles à la cause des Colonies Unies. » Mais Montréal n'avait ni presse, ni imprimeur. Le Congrès dut lui en fournir. Son choix se porta sur l'imprimeur Fleury Mesplet. Français aux principes révolutionnaires, Mesplet s'était expatrié pour fonder son imprimerie au Covent Garden, à Londres. Il aurait cherché à rencontrer Franklin alors que celui-ci se trouvait dans la capitale anglaise en qualité d'agent pour un certain nombre de colonies américaines. On croit que Franklin aurait conseillé à Mesplet de s'établir à Philadelphie et qu'il lui aurait même rédigé une lettre de recommandation. De 1774 à 1776, à Philadelphie, le Congrès lui adjugea trois contrats pour imprimer, en français, des exhortations à la révolution qui s'adresseraient aux habitants francophones du Canada.

Alors que la commission Franklin s'apprêtait à partir pour Montréal, le Congrès convoqua un comité chargé d'enquêter sur les aptitudes professionnelles de Mesplet. En effet, on voyait en lui l'imprimeur qui pourrait publier au Canada des documents qui serviraient la cause américaine. Franklin lui-même figurait parmi les trois membres de ce comité. La candidature de Mesplet fut approuvée.

Le 18 mars 1776, Mesplet quittait Philadelphie après avoir chargé sa presse et tous ses biens sur cinq chariots. Lorsqu'il parvint au lac George, on arrima le chargement à bord de cinq bateaux. Les bateliers décidèrent d'affronter les rapides jusqu'à Chambly, pour éviter un long détour à la hauteur de Saint-Jean. Mais on était au printemps, à la crue des eaux. Les embarcations de Mesplet furent presque submergées. Une grande partie de son papier fin, les vêtements de son épouse et les siens furent abîmés. Il atteignit Montréal le 6 mai, mais il était trop tard. Franklin et les commissaires avaient déjà renoncé à leurs ambitions et s'apprêtaient à partir. Mesplet ne fit aucun travail pour eux. Il se trouvait isolé, car il ne pouvait fuir avec les commissaires. Voyager avec une presse d'imprimerie n'était pas chose facile, comme il avait pu le constater au cours de son expédition précédente. De plus, il ne trouverait probablement personne qui accepterait d'être payé en argent américain. De toute façon, il n'était peut-être pas si désireux de partir. Il se sentait sans doute plus à l'aise à Montréal, ville à majorité francophone, qu'à Philadelphie. Il avait séjourné à Québec et à Montréal au début de 1775, et peut-être avait-il entretenu dès lors le projet de s'installer dans un milieu français.

Lorsque les troupes britanniques revinrent à Montréal, Mesplet fut incarcéré. Vingt-six jours plus tard, on le libéra. Il paraissait inoffensif et pourrait peut-être se révéler utile, dans une ville sans imprimeur. Il établit son imprimerie, rue de la Capitale, entre les rues Saint-Sulpice (qui se nommait alors Saint-Joseph) et Saint-François-Xavier. L'imprimerie était fort occupée. Mesplet y produisit les premiers livres de Montréal (dont le premier volume illustré au Canada), sans oublier les premiers pamphlets, des travaux d'impression commerciale, et un journal. Ce journal, lancé en 1778 et baptisé *La gazette du commerce et littéraire,* (sic), disait tant de mal des juges qu'il fut interdit et Mesplet, emprisonné. Relâché, il ressuscita en 1785 son quotidien, sous un nouveau nom: *The Montreal Gazette.* Il édita ce nouveau journal dans un état d'esprit plus circonspect.

Si Fleury Mesplet devint premier imprimeur de Montréal grâce à la mission de Franklin, la nomination du père John Carroll à la charge de premier évêque catholique des États-Unis découle aussi des mêmes événements.

Le père Carroll avait été d'un grand secours pour Franklin. Celui-ci avait découvert en Carroll un compagnon singulièrement attachant, doué sur le plan de l'intellect et fin causeur. Mais il y avait bien plus que cela: alors qu'il était un vieillard invalide, trop âgé et trop malade pour entreprendre le voyage à Montréal, Franklin apprécia l'empressement du père Carroll à adoucir les difficultés d'un trajet pénible. À proximité de New York, sur le chemin du retour, il écrivit: «Je me sens un peu plus faible à chaque jour et je crois que je ne me serais pas rendu jusqu'ici, n'eût été l'amical soutien de M. Carroll et son tendre souci de ma personne.»

Au cours des années qui suivirent, Franklin ne manqua pas une occasion de témoigner en faveur du père Carroll auprès des autorités catholiques, notamment lorsqu'il devint ambassadeur des colonies américaines à Paris. Son patronage ne resta pas sans effet. L'Église projetait justement sa première organisation ecclésiastique aux États-Unis. Le premier évêque devrait être un homme d'un tact et d'une sagesse extraordinaires. L'appui d'un personnage aussi important que Benjamin Franklin, si hautement réputé pour la perspicacité de son jugement, ajoutait un poids considérable à la candidature du père Carroll à cette fonction. Le premier juillet 1784, Franklin nota dans son journal: «Le nonce pontifical est venu m'instruire que le pape, sur mon conseil, a nommé M. John Carroll Supérieur du clergé catholique en Amérique, et l'a investi de plusieurs pouvoirs épiscopaux; et que, vraisemblablement, il serait plus tard sacré évêque...»

L'accession du père Carroll au siège d'évêque de Baltimore survint en 1789. En qualité de premier évêque catholique, il posa les fondements de l'Église dans la jeune république. Il convoqua le premier synode et rédigea les premiers règlements de l'administration ecclésiastique. Il fit construire écoles et collèges catholiques, invitant plusieurs ordres religieux à venir poursuivre leur oeuvre aux États-Unis. En 1808, il fut désigné archevêque. On partagea alors son vaste diocèse en quatre nouveaux diocèses, soit ceux de Boston, New York, Philadelphie et du Kentucky. C'est lui qui, à toutes fins utiles, décida de la nomination des quatre évêques, surveillant ensuite leur administration. Il réconcilia plusieurs traditions nationales divergentes et souvent contradictoires. Il consacra sa vie à faire de l'Église américaine un rameau authentique de l'Église universelle.

Pourtant, la grande influence qu'eut l'archevêque John Carroll sur l'histoire de l'Église aux États-Unis ne se serait peut-être jamais exercée, s'il n'était venu à Montréal, aux côtés de Benjamin Franklin, lors de la mission de 1776, qui échoua.

**Salle de réception
château de Ramezay**

— XI —

Le dernier Américain à gouverner Montréal :

Benedict Arnold

Benedict Arnold fut le dernier Américain à gouverner Montréal, et il gouverna par des temps agités. Les forces de la révolution américaine étaient sur le point de lever le siège devant Québec pour se replier sur Montréal. La ville était leur porte de secours vers la rivière Richelieu et le lac Champlain. Il incombait à Arnold de tenir ce passage libre. Si les Britanniques réussissaient à reprendre Montréal, les forces américaines se diviseraient et seraient perdues. La principale menace viendrait de l'ouest : les Britanniques pourraient en effet descendre le Saint-Laurent. Rien ne les empêcherait alors de débarquer à Montréal, sauf Benedict Arnold et les quelques soldats américains dont il disposait.

Les dirigeants américains eurent la main heureuse en confiant Montréal aux soins d'Arnold. Quoiqu'il se soit révélé par la suite le principal traître à la révolution américaine, Arnold s'illustra en 1776 comme l'un des chefs révolutionnaires les plus audacieux et les plus compétents. Homme d'une détermination et d'une vigueur exceptionnelles, il était assez hardi pour tenter n'importe quoi. Il fit preuve de cran jusque dans sa perfidie, alors qu'il complota plus tard avec les Britanniques pour obtenir la reddition de West Point, forteresse donnant accès à l'Hudson. Son courage, toutefois, s'entremêlait de jalousie, de chicanerie, d'avarice et de corruption. Parmi tous les personnages de l'histoire de la révolution américaine, celui-ci est le plus shakespearien. Sa vie était déchirée par le drame des conflits intérieurs. Il pouvait être héros ou traître, suivant la passion qui dominait alors en lui. La cause de la révolution ne connut pas de partisan plus vaillant, nul plus instable, nul plus capable de duplicité volontaire.

John Joseph Henry, l'un des officiers américains qui servit sous la direction d'Arnold au Canada l'a décrit: «Notre commandant, Arnold, était d'une trempe remarquable. Il était brave jusqu'à la témérité; bien-aimé des troupes, peut-être uniquement pour cette qualité. Il possédait une puissante capacité de persuasion, il pouvait se montrer complaisant; mais, en même temps, il était sordidement avaricieux. Arnold était court, bel homme, d'un teint vermeil, de type corpulent, âgé d'au moins quarante ans.» (De toute évidence, il paraissait beaucoup plus vieux qu'il ne l'était vraiment, car à cette époque, lors de l'invasion du Canada, il ne dépassait pas les trente-quatre ou trente-cinq ans.)

La «puissante capacité de persuasion» de Benedict Arnold devait agir sur la décision du général George Washington, alors qu'il planifiait une invasion canadienne sur deux fronts, par ses troupes révolutionnaires. Pendant que le major général Richard Montgomery avancerait sur Montréal, en passant par le lac Champlain, une autre expédition progresserait à partir du littoral du Maine, traversant les forêts en direction de Québec. Arnold convainquit Washington de lui confier le commandement du second front.

Le refroidissement de l'automne se faisait déjà sentir lorsque Arnold s'enfonça dans ce territoire sauvage, accompagné d'environ onze cents hommes. Les postes habités étaient clairsemés et pauvres. Puis il n'y eut que la brousse. Son bataillon s'éloignait de toute source de ravitaillement ou d'abri. Les portages se succédaient. Les embarcations se mirent à faire eau; quelques-unes tombaient en pièces et durent être laissées en chemin. Ils traversaient des marécages et de la vase glacée. Ils dormaient par un temps de givre en vêtements mouillés. On perdit des vivres: il ne resta plus que de la farine et du porc salé. Le nombre des membres de l'expédition diminua. Certains désertaient; d'autres tombaient malades; d'autres décédaient. Il semblait parfois qu'ils avançaient au centimètre. Au portage, dit «Great

Carrying Place », ils poussèrent encore de l'avant, péniblement; pendant une quinzaine, ils campèrent au pied du mont Bigelow.

N'eût été l'énergique et furieuse résolution d'Arnold, ils ne s'en seraient jamais tirés. Vers le 8 novembre, il les conduisit de la Chaudière à la Pointe-Lévis, en face de Québec. Ils étaient affamés, abattus, divisés. Mais Arnold était enfin arrivé, suivi de presque sept cents hommes! Son courage forçait même l'admiration de ses ennemis. « Un miracle s'est sûrement produit en leur faveur », écrivait un habitant de Québec. « C'est une entreprise qui dépasse la race commune des hommes, en cet âge corrompu. Ils ont cheminé à travers bois et marais, et franchi des précipices, sur un parcours de cent vingt milles semé d'obstacles tels que seuls des hommes d'un zèle et d'une activité infatigables peuvent les surmonter. »

Après la réussite de cette poussée forcenée à travers la forêt, l'administration de Montréal parut une tâche bien ironique à Benedict Arnold. D'autre part, tout espoir véritable de conquérir Québec s'était effondré au cours du malheureux assaut dans le blizzard du 31 décembre 1775. Montgomery avait été tué, Arnold était blessé, et les troupes américaines sans salaire étaient démoralisées: tout cela rendait impossible une autre offensive contre Québec. Chaque jour les rapprochait un peu plus du printemps, et le dégel amènerait sûrement une flotte britannique sur le Saint-Laurent. Arnold se consacra à la direction de Montréal et se chargea d'assurer la liberté de passage pour les troupes en retraite.

Au quartier général du vieux château de Ramezay, rue Notre-Dame, le gouverneur recevait des missives. Il en vint une des Cèdres, poste situé à l'ouest, en amont du Saint-Laurent. Il avait envoyé là quatre cents hommes, sous les ordres du major Butterfield, se retrancher à côté des rapides qui marquaient le passage entre les lacs Saint-François et Saint-Louis. Un bataillon britannique commandé par le capitaine Forster avait descendu le fleuve à partir de Ogdensburg (qu'on appelait alors Oswegatchie). Il comptait trois cents à quatre cents Indiens, avec près de trente-cinq soldats réguliers et cent volontaires canadiens. Forster effraya les Américains. Ils feraient mieux de se rendre, prévenait-il, sinon un certain nombre de ses Indiens pourrait mourir au cours de l'affrontement. Si ces Indiens étaient tués, Forster serait peut-être incapable de réprimer le désir de vengeance des autres Indiens. Le major Butterfield perdit son sang-froid. Il n'offrit qu'une brève résistance, puis, il capitula après qu'on lui eût garanti la protection des siens contre la cruauté des Indiens.

À Montréal, la nouvelle parvint à Benedict Arnold: sa division américaine avait été attaquée aux Cèdres. Il dépêcha sur-le-champ un renfort d'une centaine d'hommes. Il se prépara lui-même à partir. Ces renforts, sous le major Sherburne, ne dépassèrent pas Vaudreuil (baptisée à l'époque Quinze-Chiens), où ils se heurtèrent à un détachement britannique, envoyé par le capitaine Forster. L'escarmouche fit quelques morts et blessés; enfin, le major Sherburne se rendit.

Au total, Arnold avait subi la perte de quelque cinq cents hommes. Réjoui, le capitaine Forster décida sans hésiter d'engager le combat contre Arnold à Montréal. De Vaudreuil, il traversa jusqu'à l'île de Montréal; il se rendit à la Pointe-Claire, où cinq cents volontaires se joignirent à lui. Puis il se dirigea vers Lachine, à seulement neuf milles de Montréal.

Pour la première fois, Forster se mesurait à Benedict Arnold. Au cours de cette crise, Arnold témoigna de toute sa fougue. Il se rendit à Lachine avec une centaine d'hommes et y chercha une position de défense. Il découvrit une forte grange de pierre, sorte d'entrepôt, et ordonna rapidement de creuser des tranchées tout autour. Entre temps, d'autres soldats américains arrivèrent. Arnold était prêt à croiser le fer avec Forster.

Le vendredi soir du 24 mai 1776, on entendit battre les tambours des Britanniques en marche. Ils n'étaient plus qu'à une lieue. À minuit, l'aide de camp d'Arnold, le capitaine James Wilkinson, écrivit: « Nous serons pris d'assaut dans moins de six heures. L'aube se lève: une aube chargée du destin de quelques hommes, une poignée de braves compagnons. » Mais le capitaine Forster entendit de troublantes rumeurs tandis qu'il progressait vers Lachine. La « poignée de braves compagnons » d'Arnold avait été transformée par les messagers en une armée puissante, équipée d'une artillerie formidable, aux défenses solidement fortifiées. Commandant à peine quelques soldats et sa bande d'Indiens, il estima qu'il valait mieux reculer.

Dès qu'il apprit que Forster battait en retraite, Benedict Arnold se mit à ses trousses. Il mena ses hommes à pied le long du lac Saint-Louis jusqu'au fort Senneville, cette vieille forteresse dont les ruines solitaires et pittoresques se dressent toujours, là où l'affluent de l'Outaouais (connu aujourd'hui sous le nom de rivière des Prairies), coule au nord de l'île de Montréal. À l'approche du fort, ils aperçurent les hommes de

Forster qui traversaient la rivière en direction de Vaudreuil. Arnold espérait encore récupérer les cinq cents prisonniers américains que détenait Forster, mais il ne pouvait pas se lancer à sa poursuite sur la rivière. Chargés de provisions et de bagages, ses bateaux remontaient alors, au ralenti, les rapides de l'île Perrot. Il fit porter plusieurs messages en aval, les enjoignant d'accélérer.

Vers cinq heures du soir, les bateaux apparurent. Arnold fit jeter bagages et provisions sur le rivage. Il pressa ses hommes de monter à bord. On ne toléra aucun retard par souci du rang ou de méthode. Quand ils quittèrent la rive, il se faisait déjà tard. Luisant à l'horizon crépusculaire, le soleil oblique les aveuglait. Lorsqu'ils approchèrent de la côte, le capitaine Forster fit feu de ses deux canons de cuivre. C'était entre chien et loup: Arnold ne distinguait plus très nettement le rivage, tout se confondait. Il décida de revenir vers la rive, sur l'île de Montréal, à la rame. Il attaquerait le lendemain.

Arnold tint un conseil de guerre avec ses officiers. Son plan consistait à remonter le cours de l'Outaouais sur quelques milles. Il redescendrait alors surprendre Forster, par voie de terre. Certains officiers exprimèrent leur désaccord. Le principal dissident était Moses Hazen, un combattant de grande expérience. Le plan, disait-il, ne manquait pas d'audace mais il était insensé. Ils avanceraient contre des Indiens et les Indiens étaient bien les derniers au monde à se laisser surprendre. Mais Arnold acceptait mal qu'on lui résistât. Hazen et lui échangèrent des mots. À minuit, on leva la séance. Plus tard, Arnold insista sur l'unanimité du conseil, ce qui voulait probablement dire qu'il s'était obstiné à ne faire qu'à sa tête.

À deux heures du matin, un officier britannique, le lieutenant Parke, fit son apparition, portant un fanion blanc parlementaire. On le conduisit au quartier général. Il apprit à Arnold que le major Sherburne (commandant des renforts américains saisis par le capitaine Forster à Vaudreuil), avait négocié une entente. Forster relâcherait les prisonniers américains en échange des Britanniques captifs des Américains. Après avoir exigé et obtenu certains amendements à l'entente, Arnold signa. Le Congrès devait, par la suite, répudier cette signature. Mais à ce moment précis, l'accord paraissait à Arnold la meilleure façon de prévenir le massacre des prisonniers par les Indiens de Forster.

Une trêve de trois jours intervint, pour permettre le transfert des captifs. Dès la fin de la trêve, Arnold se lança à la poursuite de Forster. Mais ce dernier avait profité de ce répit pour fuir en amont. Il avait disparu pendant qu'on rendait les prisonniers. Malgré cela, Arnold n'était pas sans éprouver une certaine satisfaction. Il avait à tout le moins réussi à chasser les Britanniques, alors qu'ils s'étaient approchés à moins de neuf milles de Montréal. Il revint à son quartier général, au château de Ramezay, pour se préparer à la prochaine alerte. Elle sonna vers les cinq heures, au soir du 15 juin 1776.

Les Américains avaient abandonné le siège de Québec. Hâtivement, ils remontaient le Saint-Laurent vers Montréal. Ils formaient une bande désordonnée, délabrée, « brisée, abattue... sans discipline et entièrement réduite à vivre au jour le jour... » Arnold délégua son aide de camp, le capitaine Wilkinson, auprès du commandant américain, le major général John Sullivan. Arnold le croyait à Sorel. Mais Wilkinson découvrit avec horreur que la retraite avait progressé beaucoup plus lentement en amont. Or, les Britanniques se trouvaient déjà à Varennes, à peine à dix-huit milles de Montréal. Il fallait faire diligence et en informer aussitôt Arnold. Près de Varennes, il vola un cheval, aux abords d'un moulin. Il l'enfourcha sans selle et se rendit au galop à Longueuil. Là, à la pointe de son épée, il obligea un Canadien français à mettre un canot à l'eau. Débarqué au port de Montréal, il courut au château de Ramezay.

La nouvelle renversa Benedict Arnold. Il n'aurait jamais cru les Britanniques si proches. Défendre Montréal serait désormais futile. Il lui incombait maintenant d'organiser la retraite de Montréal. Il le fit sans tarder. Il réunit d'abord une flotte de bateaux et emmena sa garnison de trois cents hommes, ainsi que les malades et les bagages. Son avarice sordide se manifesta jusque dans la précipitation du départ : il fit également charger à bord les biens précieux dont il avait dépouillé, à son profit, les marchands montréalais. On traversa le fleuve.

À Longueuil, Arnold se mit en route à la tête d'un défilé de fourgons. On avançait lentement, craignant une attaque. L'aide de camp fut chargé de retrouver le général Sullivan et de lui demander des renforts pour garantir la retraite des troupes. Le capitaine Wilkinson chevaucha par toute la région, sans trouver le commandant. L'armée américaine s'était vraiment effondrée. Des hommes « accablés de fatigue gisaient çà et là, au hasard, plongés dans un profond sommeil », sans la moindre sentinelle pour veiller à leur sécurité.

Tant bien que mal, le général Sullivan réussit à rallier ses hommes pour les conduire, pêle-mêle, à Saint-Jean. Benedict Arnold s'y trouvait déjà, afin de surveiller l'embarquement. L'on chargea tout ce qui restait encore d'artillerie et de munitions à bord d'une flottille. Les troupes embarquèrent. Seul Arnold demeurait à terre, avec son aide de camp. Ils partirent à cheval, se rendre compte des progrès de l'armée britannique. Ils virent que celle-ci avançait rapidement. Ils firent donc volte-face et revinrent aux navires. Arnold ôta la selle, puis les pièces du harnais, et les jeta dans un bateau. Il dégaina son pistolet pour abattre le cheval. Il ordonna au capitaine Wilkinson de l'imiter. À contre-coeur, Wilkinson obéit.

Le soleil se couchait. Arnold commanda à l'équipage et à Wilkinson de s'embarquer. Refusant toute assistance, il poussa lui-même l'embarcation à l'eau et sauta à bord. Il avait assuré la retraite; il fut le dernier à partir. Les bateaux se trouvaient à peine hors de portée des fusils quand les Britanniques firent irruption à Saint-Jean.

Troisième partie

Périls et prouesses

Le Port : rue Mill

— XII —

Le meurtre entre gentilshommes :

Les duels

COMMENT LA PRATIQUE DU DUEL prit-elle fin à Montréal?

Coutume sociale élitiste intégrée au code des gentilshommes, le duel se pratiqua à Montréal pendant environ deux siècles. Pour plusieurs, il représentait une indispensable marque de civilisation. Le duel disparu, ces gens ont craint que le sens de l'honneur ne s'éteigne également, ainsi que le droit de prendre ses propres dispositions en vue de redresser des torts personnels.

Dans un livre édité à Montréal, un duelliste canadien, le major John Richardson, défendait cette coutume à titre de « bel usage ancien, institué au temps de la chevalerie ». Il déplorait qu'une société terre-à-terre et mercantile voulût le décourager. Il pensait qu'un homme « doit être réellement dégénéré » pour endurer passivement l'injure infligée à sa personne ou à ceux qu'il est censé protéger. Aussi, poursuivait-il, comment se faire justice pour des offenses personnelles si ce n'est par le duel? Avec ses règlements fort civils, celui-ci offrait le moyen le plus naturel et le plus légitime de panser son amour-propre. Abolissez le duel, prévenait-il, et les hommes valeureux seraient contraints d'obtenir réparation par des voies plus brutales et moins admirables, « avec le pistolet camouflé ou le couteau de chasse. »

Les critiques du combat en duel pouvaient alléguer que c'était là un bien faible moyen de se rendre justice. La partie offensée, ayant lancé un défi à son offenseur, pouvait finir mutilée ou pis. Mais les partisans du duel répliquaient aussitôt: il fallait qu'un homme entretînt une piètre estime de son statut de gentilhomme s'il craignait de risquer sa vie pour défendre son honneur.

Les duels se manifestèrent d'abord à Montréal sous le régime français. Ils se perpétuèrent sous le régime britannique, avec un trait distinctif d'importance: on substitua des pistolets aux épées. Il est possible que ce changement ait favorisé les réconciliations de dernière minute entre les parties. Au moment de s'affronter en duel aux pistolets, les combattants ressentaient toute la solennité du rituel, qui produisait sur eux un effet tempérant: on mesurait le terrain, on procédait à l'ouverture des étuis contenant les pistolets, on les chargeait. S'il existait une possibilité de réconciliation, elle se réalisait vraisemblablement par des négociations entre les seconds au cours des préparatifs.

L'histoire du duel à Montréal n'est pas empreinte d'un aussi grand nombre de tragédies qu'on pourrait le croire. Vu le danger que représentait un échange de coups de feu entre deux hommes à courte distance, les duels fatals se faisaient remarquablement rares. De toute évidence, les combattants d'un duel visaient plutôt à blesser qu'à tuer. En maintes circonstances, (peut-être même dans la plupart des cas), on échangeait des coups de feu sans qu'aucun des adversaires ne soit blessé. On pourrait en conclure que plus d'un duel ne servit qu'à une performance, ou au respect d'une convention sociale. Car s'abstenir d'un tel combat pouvait laisser planer l'impression que l'honneur n'était pas sauf. Un échange de coups de feu, même si personne n'était touché, était généralement accepté comme une preuve satisfaisante que l'honneur n'avait pas été négligé.

Rares étaient les duellistes qui s'affrontaient une deuxième fois, ou même davantage. L'effusion de sang, même causée par une blessure superficielle, signifiait habituellement la fin du duel. Cela ne réduisait pas tous les affrontements de ce type à la feinte et au jeu. L'ombre d'un dénouement tragique menaçait toujours. Si l'un des duellistes désirait faire feu pour tuer, il avait le privilège de le tenter. Quiconque partait se battre en duel ne pouvait jamais être certain de la conclusion, même s'il savait que le combat ne représentait le plus souvent qu'une formalité.

Tout Montréal était frappé de consternation lorsque quelqu'un succombait sur le terrain. La nouvelle se répercutait à travers la ville et les générations à venir s'y référeraient comme à une légende. Il est difficile de dresser des statistiques, mais il semblerait qu'à partir de 1760, il ne serait survenu que deux décès en duel. Quelques autres combats faillirent mal tourner. Les antagonistes s'étaient affrontés, furieux, résolus de tuer, sachant bien que cela pourrait leur coûter la vie. Or, même dans ces cas extrêmes, les duellistes, quoique gravement blessés, s'en remirent.

Le plus féroce de ces duels fut disputé le dimanche matin du 11 avril 1819. Il se tint à l'emplacement habituel de l'époque, près du vieux moulin en pierre qui donnait son nom à la Pointe-du-Moulin. Le moulin en question se trouvait tout juste au delà du canal de Lachine, près du pont Black. (Le nom de ce bâtiment ailé survit non seulement à la Pointe-du-Moulin, ou Windmill Point, mais aussi grâce à la rue Mill et au Windmill Basin du port.) L'un des adversaires ce jour-là, le docteur William Caldwell, était un vétéran de la Guerre péninsulaire contre Napoléon, ainsi que l'un des premiers médecins à l'Hôpital général de Montréal et à la Faculté de médecine de McGill. L'autre duelliste était Michael O'Sullivan, vétéran de la Guerre de 1812, avocat et délégué de Huntingdon à l'Assemblée législative du Bas-Canada.

La dispute éclata à propos du projet de fonder l'Hôpital général de Montréal. Une délégation de Montréal (dont John Molson était membre) s'était rendue à Québec présenter une requête à l'Assemblée, en vue d'obtenir une subvention. Michael O'Sullivan s'opposa à cet octroi, au cours d'un débat de l'Assemblée. La satire mordante de son discours s'attaquait surtout aux médecins qui parrainaient le projet. Son exposé eut pour résultat d'ajourner indéfiniment toute délibération concernant la requête.

Frustré et furieux, le docteur Caldwell expédia une lettre au *Canadian Courant*. C'était une lettre vigoureuse et sensée. Mais à la fin de sa longue argumentation, il perdit toute mesure. Il accusa O'Sullivan de manquer de courage. Il laissa entendre que peu de temps auparavant, O'Sullivan avait été outragé et provoqué d'une telle façon, qu'il aurait dû lancer un défi. Or il n'en avait rien fait. La lettre au *Courant* avait été envoyée sous le couvert de l'anonymat. O'Sullivan exigea que l'éditeur en dévoilât l'auteur. L'éditeur renonça au secret professionnel et divulgua le nom. Le docteur Caldwell fut provoqué en duel. Il accepta sur-le-champ.

Ce dimanche matin d'avril, à proximité du moulin, le duel fut disputé avec une rare sauvagerie. Cinq fois, les adversaires échangèrent le feu. O'Sullivan reçut une double blessure. Mais le duel se poursuivait. Au cinquième échange, O'Sullivan chancela et s'affaissa sur le sol, une balle dans la poitrine. Le bras du docteur Caldwell avait été fracassé, mais il s'en tirait à bon compte, car une des balles tirées par O'Sullivan avait déchiré son manteau et sa veste, tout près de son cou.

Bien que ce duel pervers n'ait pas été fatal, il a probablement abrégé la vie de Michael O'Sullivan. Pendant des jours, celui-ci balança entre la vie et la mort. Son cas confondait les chirurgiens. L'extraction de la balle pourrait l'achever. On se décida enfin à la laisser où elle se trouvait. Le rétablissement d'O'Sullivan fut loin d'être complet. Désormais, sa vie lui devint affligeante et pénible. Par un effort de volonté, il poursuivit sa carrière en droit. En 1838, il fut désigné juge en chef de la Cour du banc du roi, à Montréal. Il présida le tribunal durant un terme seulement, celui de février 1839. Le 7 mars, il expirait. L'autopsie mit à jour la balle de 1819 du docteur Caldwell, qui s'était logée contre l'épine dorsale d'O'Sullivan.

Si terrible qu'ait été la blessure d'O'Sullivan, son combat avec le docteur Caldwell pourrait difficilement passer pour l'un des duels mortels de Montréal. Le duel mortel était rigoureusement défini : il devait entraîner un décès sur le terrain même, ou en moins de quelques jours, décès qui serait directement imputable à l'échange de coups de feu. Les deux duels fatals qui survinrent après 1760 furent largement éloignés l'un de l'autre : le premier eut lieu en 1795, le second en 1838.

Le premier se déroula au même endroit que le duel Caldwell-O'Sullivan, au petit matin du 24 mars 1795. Les adversaires furent le lieutenant Samuel Lester Holland, âgé de dix-neuf ans, et le capitaine Shoedde. Ils étaient tous deux officiers du 26ième régiment. La tradition veut qu'ils se soient querellés au sujet d'une indiscrétion commise par le lieutenant Holland lors d'un bal donné à la résidence du gouverneur, à Québec. Il est dit également que le père du lieutenant Holland, le major Samuel Jan Holland, inspecteur général des colonies britanniques au nord de la Virginie, arma lui-même son fils. Il lui remit une paire de pistolets qui lui avait été offerte alors qu'il servait sous le général James Wolfe. « Samuel, mon garçon, dit-il, voici les armes que me présenta à sa mort mon très cher ami le général Wolfe. Sers-t-en pour conserver sans tache le vénérable nom de notre famille. »

Alors que ces détails tiennent uniquement de la tradition populaire, les faits du duel comme tel ont été décrits le 30 mars, dans un journal de Québec, le *Times*. En un sens, la procédure sortait de l'ordinaire. On n'ouvrit pas le feu simultanément, à un signal donné. On avait décidé de donner à l'un des duellistes l'avantage de tirer le premier. C'était un privilège considérable, puisqu'il pourrait lui permettre d'abattre son opposant, ou de le réduire à l'incapacité, sans qu'il n'ait fait feu. On joua à pile ou face. Le sort favorisa le capitaine Shoedde. Celui-ci tira le premier, à une distance de dix pas. Sa balle toucha le jeune Holland «juste sous les fausses côtes». Le lieutenant vacilla, puis, «se ressaisissant aussitôt et quoique mortellement blessé», il fit feu en retour. Le bras droit du capitaine Shoedde fut touché à deux endroits.

On transporta le lieutenant Holland en ville et on l'étendit sur un lit de fortune à la Sullivan Coffee House. Il mourut dix-sept heures plus tard, souffrant et fiévreux. Le major Samuel Holland accourut de Québec. Lorsqu'il vit le corps, dit-on, il gémit, regrettant que les pistolets qu'il avait donnés à son fils aient mis fin à sa vie. On transféra la dépouille à la résidence Holland, qui s'élevait sur un vaste domaine de 700 acres à Québec. Là, elle fut enterrée sous un sapin solitaire, que les générations futures baptisèrent Holland Tree. Lorsqu'il décéda en 1801, le major Holland fut inhumé aux côtés de son fils. Une fois la propriété vendue, une clause de l'acte de vente stipula que le lieu de sépulture demeurerait «pour toujours sacré et inviolable». Mais au cours des changements de propriétaires ultérieurs, on passa outre à cette clause. Les pierres tombales furent renversées, de sorte que l'on ne savait plus où se trouvaient les tombes. Elles furent retrouvées en 1957. Un cadastre spécial désigna ce lieu de sépulture comme un lot civique distinct et indivisible, portant le numéro 53A-1. De nos jours, ce lot se trouve le long de la rue de Callières, à mi-chemin entre les avenues Holland et Ernest-Gagnon, à Québec.

Il semble que quarante-trois ans s'écoulèrent avant que ne se produise un autre duel mortel à Montréal. Dans l'intervalle, il s'en était livré de nombreux autres qui ne connurent pas de suites funestes. Ils avaient impliqué quelques notables de la ville; Simon McTavish (dont le nom survit grâce à la rue McTavish) fut l'un d'eux.

McTavish était sans doute le citoyen montréalais le plus prestigieux de son temps, et probablement aussi le plus riche. Il dirigeait l'importante Compagnie du Nord-Ouest, qui allait jusqu'à rivaliser avec la Compagnie de la Baie d'Hudson elle-même, pour le contrôle du commerce des fourrures au Canada. McTavish engagea un duel avec le docteur Robert Jones. La balle déchargée par le pistolet du docteur transperça McTavish « un peu au-dessus de l'aine, pour se loger presque sous la peau en arrière ». Elle fut facilement extraite par un chirurgien. McTavish s'en remit très vite.

Plus d'un duel à Montréal a été livré par un avocat, voire entre deux avocats. Nombre de ces avocats duellistes ont été plus tard nommés juges, ce qui démontre bien que les combats en duel échappaient ordinairement à la loi; on les considérait en fait au-dessus de la loi, hors de toute juridiction. Il est vrai qu'à la suite d'un duel mortel, on devait tenir une enquête du coroner. Mais ces enquêtes s'abstenaient de désigner un coupable.

Un tel examen eut lieu en 1838, par suite du dernier duel fatal à Montréal. Dans ce duel, un avocat, Robert Sweeny, avait abattu un officier de garnison, le major Henry John Warde. Un médecin, le docteur Aaron Hart David, était présent à l'enquête. Devant les jurés, il ouvrit le corps et suivit minutieusement l'itinéraire de la balle. À un moment donné, le médecin introduisit son doigt dans un orifice et en fit sortir les fragments d'une vertèbre fracassée. Il ne subsistait donc aucun doute sur la cause de la mort du major Warde, ni sur l'identité de celui qui était responsable de cette mort. Du reste, les adversaires étaient connus. Les journaux avaient même publié leurs noms. Ils avaient été identifiés par des témoins, à l'enquête. Pourtant, le jury du coroner rendit ce verdict: « Nous sommes d'avis que feu le major Henry John Warde trouva la mort par suite de la blessure d'un coup de fusil que lui infligea une personne inconnue, lors d'un duel ce matin. »

Mais l'époque où le duel jouissait d'un statut social assuré et se trouvait placé, par convention sociale, au-dessus de la loi, était presque révolue. Ce duel fatal de 1838 et la popularité du major Warde en ville avaient entraîné un revirement du sentiment public. La pratique du duel était désormais contestée: elle devait se mesurer à l'opinion publique. Loin d'être tenue, comme elle l'avait été pendant des siècles, pour une marque de civilisation, elle reçut le stigmate de relique barbare.

Le duel qui imposa un tel bouleversement se disputa peu après cinq heures, à l'aube du 22 mai 1838. Déjà, à cette date, l'ancien terrain de duel près du moulin avait été abandonné;

l'activité commerciale incessante du port l'avait rendu trop public. On se livrait maintenant au duel à plusieurs milles à l'ouest, sur une piste de courses à proximité du fleuve. Cette piste avait l'avantage d'être déserte au point du jour. Le site comportait aussi un atout supplémentaire: on avait repéré dans le voisinage une auberge rustique, sorte de club sportif, nommée Le Pavillon. Un duelliste blessé pourrait y être promptement transporté et alité, afin de recevoir les premiers soins. (L'emplacement actuel de ce terrain se situe au coin nord-ouest de l'angle boulevard La Salle et avenue de l'église, à Verdun.)

À l'aube de ce vingt-deux mai 1838, la piste de courses se révéla moins déserte qu'on ne l'avait prévu. Un cultivateur canadien-français, J.-B. Lanouette, traversait un champ adjacent, en route vers sa journée de labour. Il aperçut quatre hommes au pied des tribunes du champ de courses. Les premières lueurs du jour commençaient à peine à baigner l'endroit. Il était tout étonné de trouver quatre étrangers dans les parages, à une heure aussi matinale. Quand il se fut approché d'eux, à près de « quatre acres », il vit deux des individus prendre position pour s'affronter en duel. À moins de « deux acres et demie », il entendit des ordres: « En joue! Feu! » Il y eut une décharge de pistolet. L'un des deux duellistes bondit de deux à trois pieds avant de tomber à la renverse.

Lanouette s'avança jusqu'au blessé. Il le vit rendre son dernier soupir. On lui commanda de quitter le terrain mais il refusa de partir. Puis, finalement, avant de se retirer, il se tourna vers le duelliste vainqueur en lui disant: « C'est une bien triste façon de commencer la journée. » L'homme auquel il s'adressait ne répondit pas. Il jeta plutôt son pistolet au sol et se mit à sangloter. Les deux autres individus s'agenouillèrent aux côtés du corps. Ils tâtèrent la poitrine du défunt. Ils « semblaient profondément troublés et accablés. »

Les sanglots, l'émoi et la tristesse se communiquèrent du champ de Verdun à Montréal. La ville fut atterrée. L'homme qui avait tressailli avant de s'écrouler avait été tué par l'un de ses meilleurs amis. Encore la veille, Robert Sweeny et lui avaient été aperçus se promenant ensemble. Ils manifestaient alors leur bonne humeur habituelle. Mais quelque chose survint ce soir-là, une dispute au sujet de Charlotte, l'épouse merveilleusement séduisante de Robert Sweeny.

Sweeny s'était rendu au mess des officiers du régiment des *Royals* où Warde dînait avec ses confrères d'armes. Ils fêtaient la bonne nouvelle: le major Warde serait promu lieutenant-colonel. Les deux amis échangèrent des mots acerbes, Sweeny lança un défi, fixant le combat à cinq heures le lendemain matin.

Pour Montréal, ce duel fut une tragédie navrante, car les deux duellistes étaient fort connus de la bonne société; l'un et l'autre étaient exceptionnellement estimés. Le major Warde ne manquait pas d'attraits: c'était un célibataire « au physique magnifique et aux manières aimables », un homme aux états de service impeccables, reconnu pour son hardiesse et son esprit d'entreprise au combat. Son adversaire, Robert Sweeny, provenait d'une « bonne famille » du nord de l'Irlande. Avocat réputé, il était en outre un cavalier superbe, capitaine dans la cavalerie des volontaires, et l'auteur d'un ouvrage en vers, léger et galant, dans le style en vogue de Thomas Moore. Madame Sweeny, jeune Américaine du Vermont, avait été « instruite dans les grâces courtoises qui distinguaient la classe supérieure ». Quelques années plus tard, après qu'elle se fût remariée pour devenir Lady Rose, elle brilla à Londres, parmi la société étincelante que le prince de Galles (le futur Edouard VII) avait réunie autour de lui. Un membre de cette coterie, Sir Algernon West, affirma que Lady Rose « entre toutes les femmes que j'ai connues, était la plus intelligente et la plus spirituelle ».

N'importe quel duel fatal aurait fait scandale. Mais celui-ci constituait une tragédie sociale. Elle était sur toutes les lèvres, mais elle pesait aussi sur tous les coeurs. L'horreur du combat en duel apparut enfin. Les Montréalais en lurent les circonstances macabres dans les journaux. On avait porté le corps du major Warde au Pavillon. L'auberge était fermée à clef. On frappa à la porte à coups redoublés jusqu'à éveiller quelqu'un. Le corps fut transporté à l'intérieur. On installa un lit de sangles. Comme on y couchait le corps, une balle tombe du bras gauche. Elle roula sur le plancher.

La détresse de Montréal est dépeinte dans le journal intime d'Abraham Joseph, marchand de Québec. Le 23 mai 1838, il écrivait: « Le vapeur, aujourd'hui, nous a apporté une bien triste nouvelle qui a plongé Montréal dans le deuil. Le major Warde, des *Royals,* a été tué en duel... Le malheureux Warde n'eut pas une parole, une fois le coup tiré. Il tressauta, puis tomba mort. Ainsi se termine la vie d'un homme remarquable, courageux soldat. »

Le 26 mai, Abraham Joseph notait encore dans son journal: « Les funérailles du major Warde ont eu lieu à Montréal, le vendredi 25. Il fut inhumé avec les honneurs militaires, et tous les officiers de sa garnison participaient au convoi. Le régiment des *Royals* précédait la dépouille et tira une salve. Les soldats défilèrent, les armes renversées. Le corps était suivi de son cheval, les bottes à l'envers dans les étriers. Une immense assemblée de civils assistait aux obsèques; la tristesse se lisait sur tous les visages. »

L'affliction publique à Montréal se changea bientôt en indignation générale. Le duel, accepté depuis des générations comme un élément de la conduite entre gentilshommes et comme une mesure de protection sociale, était maintenant dénoncé comme une tare morale, une souillure infligée à la société. On érigea la mort de Warde en exemple: cela ne devrait jamais plus être permis.

À la suite de l'affaire Warde, le clergé de Montréal adopta une position ferme. Dorénavant, les duellistes seraient traités en proscrits moraux. Le révérend William Taylor, de l'United Secession Church, prononça un sermon inexorable contre l'ancienne coutume. Il la dénonça comme étant brutale, absurde, intolérable. Son prêche de trente-trois pages fut largement diffusé, et reçut l'approbation générale.

Pour sa part, l'évêque catholique de Montréal, Monseigneur Jean-Jacques Lartigue, exprima publiquement son aversion. En 1838, la Fête-Dieu et la procession du Très-Saint-Sacrement tombaient le premier dimanche après les funérailles de Warde. Ce dimanche-là, pendant l'après-midi, l'évêque devait porter l'ostensoir à travers le quartier de la cathédrale. Celle-ci se trouvait rue Saint-Denis, un peu au nord de Sainte-Catherine. Il avait été convenu que les Fusiliers volontaires de Montréal borderaient le parcours à titre de garde d'honneur. Horrifié par la mort en duel de Warde, l'évêque pria le capitaine de Bleury, commandant des Fusiliers, d'avertir le lieutenant Leclerc de ne pas se présenter à la cérémonie sacrée, car ce lieutenant avait récemment trempé dans une affaire de duel. Le capitaine de Bleury répliqua avec verve. Il informa l'évêque que le prétexte invoqué pour exclure le lieutenant Leclerc était fort malheureux, puisqu'il avait lui-même déjà été mêlé à un duel. Il refusa d'établir une distinction spécieuse entre le lieutenant et lui. L'évêque, de son côté, resta sur sa position. Par conséquent, les Fusiliers volontaires de Montréal ne se présentèrent pas à la procession du Très-Saint-Sacrement. Leur absence faisait l'affaire, pour ainsi dire, de Monseigneur Lartigue. Elle servit à proclamer formellement que tout catholique qui se battait en duel ou qui participait aux préparatifs du combat, risquait désormais la condamnation de l'Église.

L'opinion publique à Montréal avait donc fait volte-face. Jusque là, une provocation en duel devait absolument être relevée, sinon l'on perdait sa réputation de gentilhomme. Maintenant, elle pouvait être déclinée au nom des principes moraux et du devoir de citoyen. Des hommes publics pouvaient déclarer sans ambages qu'ils ne se présenteraient jamais sur un terrain de duel. Personnage influent du monde de la politique et du journalisme, Francis Hincks déclara, vers 1840: « Pour ma part, rien ne m'inciterait à prendre part à une pratique aussi barbare. »

En 1848, le journaliste Pierre Blanchet alla jusqu'à publier dans son journal le rejet d'une provocation en duel. Dans les pages de *l'Avenir*, il avait attaqué le nouveau coroner de Montréal, Charles-Joseph Coursol. Se sentant offensé, Coursol délégua un ami auprès de Blanchet afin de fixer la date d'un duel. Blanchet ne voulut rien entendre. Il transmit plutôt sa réplique, le 22 juin 1848, dans le journal:

« Vous pouvez dire à M. Coursol que je tiens le duel pour un acte sauvage et barbare. Il appartient à ceux qui, n'étant pas dans leur bon droit, ont recours à la force brutale; que je suis, et que j'ai toujours été opposé à la cruelle folie du duel, qui viole la raison et déshonore la société; que, en conséquence, je ne nommerai pas un second pour régler cette affaire; qu'en outre, je me permets d'observer qu'il est fort étrange qu'un fonctionnaire public, nommé pour faire respecter les lois et pour protéger la paix et l'ordre social, soit le premier à donner l'exemple scandaleux de la violence et du désordre; que les lois sont là pour défendre M. Coursol, si j'ai enfreint les limites de la liberté de presse... Mais que je méprise et que je rejette complètement le duel comme moyen de conclure cette affaire. »

Le déclin du duel se confirma à Montréal lorsque le ministère de la Guerre britannique modifia le code militaire, en 1844. Les officiers de l'armée furent invités à régler leurs différends sans recourir à l'usage de pistolets. Les articles amendés soutenaient qu'il était « parfaitement convenable pour des hommes d'honneur de présenter des excuses et d'offrir réparation du mal ou de l'affront commis », et qu'il en allait de même « pour l'offensé », lorsqu'il acceptait, franchement et cordialement, l'explication et les excuses. Montréal étant l'une des villes de garnison de l'Empire britannique où les militaires donnaient souvent le ton en société, ces amendements signifiaient beaucoup.

Bien que des civils montréalais aient persisté à s'adonner au duel, ceux-ci n'en diminuaient pas moins. Ils devaient être tenus clandestinement, pour éviter l'intervention de la police. En 1848, celle-ci empêcha un duel entre Georges-Étienne Cartier et Joseph Doutre. Cartier s'était formalisé d'une attaque dirigée contre lui dans *l'Avenir*, en 1848. À la différence de Blanchet, Joseph Doutre était prêt à relever le défi. Les duellistes se rencontrèrent sur le terrain, se préparèrent à passer à l'action. Mais la police survint. Elle somma Cartier et Doutre de rentrer et de se présenter, le lendemain matin, à la Cour du magistrat, pour répondre à l'accusation d'avoir troublé l'ordre public. On dit que la police avait été avertie par le frère de Cartier. Un duel (qui se révéla sans conséquence) se disputa plus tard. Mais Cartier et Doutre durent s'éloigner jusqu'à Chambly, pour s'affranchir de la vigilance policière.

Malgré cela, les duels étaient appelés à disparaître, n'ayant plus la faveur de l'opinion publique, et ne constituant plus une convention sociale. Ils devenaient rapidement démodés, bizarres, incongrus. Vers 1860, on en était venu à les considérer d'un oeil ironique. La *Montreal Gazette*, en 1864, comportait un article intitulé: « L'époque de la chevalerie »:

« Il paraît qu'un individu en ville a reçu le défi, vendredi, de se présenter à un duel et qu'il a répondu à l'invitation hostile en indiquant la porte à son messager. Il reste à voir quelles dispositions prendra le provocateur pour venger cet outrage. Les adversaires feraient mieux de siroter un café et de laisser leurs pistolets dans l'étui. »

Aussi longtemps qu'il sembla chevaleresque et distingué, symbole de courage et d'honneur, le duel se perpétua. Dès qu'il frôla le ridicule, ses jours étaient comptés.

**Lachine:
ancienne maison
ayant appartenu à la
Compagnie de la
Baie d'Hudson**

— XIII —

Citoyens du Nord-Ouest:

Les voyageurs

Chaque année, à la fin d'avril, des centaines de « voyageurs » canadiens-français se rassemblaient au Vieux Marché de Montréal (situé à la Place Royale d'aujourd'hui). C'était une bande de gais lurons. Thomas Storrow Brown en fut témoin lorsqu'il vint à Montréal en 1818, à l'âge de quinze ans. Au Vieux Marché, écrit-il, « ils passaient quelques jours à boire et à se battre sans que personne n'intervienne. Tout cela restait entre eux; on se battait avec bonne humeur, sans arrière-pensée, rien que pour donner la preuve de sa force et de son endurance. C'était un rare divertissement pour les gamins de voir le square bondé, une douzaine de combats se déroulant à la fois, de nouveaux combattants pénétrant dans l'arène, tandis que l'on écartait les vaincus ensanglantés; et tout cela était empreint de gaieté, comme si ce n'avait été qu'une danse. »

À cette même période de l'année, un festival se tenait également à neuf milles à l'ouest de Montréal, sur les rives de Lachine, point de départ vers le Nord-Ouest. Là, les voyageurs invitaient leurs amis et dilapidaient leur argent. L'alcool coulait à flots. On dansait tous les soirs. Chaque voyageur contait un épisode de ses aventures en territoire indien: tout ce qu'il relatait était invariablement plus grand que nature, et plus sauvage. Il était bien connu, par exemple, qu'un voyageur ne rencontrait jamais de *petits* loups! Les hommes criaient, fanfaronnaient, et tout le monde s'en délectait.

Lorsque les grandes flottes de canots montréalais quittaient Lachine pour les terres sauvages, les voyageurs entonnaient un chant. Établi au Canada, Hugh Gray se rendit vers 1807 à Lachine pour assister au départ d'une de ces flottes. Les hommes lui parurent remarquablement joyeux: « Ils commencent à chanter un air de leur cru, le *Chant du voyageur*: l'un d'eux s'exécute, puis tous les autres reprennent le refrain en choeur. Il est fort sympathique de voir des gens qui triment si dur manifester de tels signes de bonne humeur et de satisfaction... »

Pourtant, cette gaieté gaillarde se manifestait chez des hommes qui couraient au-devant des périls, voire de la mort. Un certain nombre d'entre eux ne reviendrait jamais. Chaque saut le long d'un cours d'eau les confrontait sans répit à un danger mortel. Sur la rive, on apercevait une petite colonie de croix, sous les arbres. Certaines étaient vieilles, vermoulues, obliques; d'autres se dressaient droites et neuves. Quelques croix indiquaient le lieu de sépulture de voyageurs enterrés. Les autres s'élevaient en mémoire de ceux dont les corps avaient été charriés par le fleuve, sans être repêchés.

Ces rappels lugubres commandaient un moment de silence et de respect. Les voyageurs priaient, les uns par piété, les autres par superstition. Personne ne tournait la prière en dérision, et tous étaient frappés de crainte. Daniel Williams Harmon, associé de la compagnie du Nord-Ouest, a dépeint ces implorations frissonnantes au bord des rivières. Jeune commis à son premier voyage, remontant l'Outaouais en canot, il nota dans son journal, le 23 mai 1800:

« Au moment de quitter un cours d'eau pour en remonter ou en descendre un autre, les voyageurs canadiens ont coutume de se découvrir la tête et de se signer, tandis qu'un membre de chaque canot, ou du moins, de chaque flotte, récite une brève prière. Le même rituel se reproduit chaque fois qu'ils aperçoivent un lieu d'inhumation planté d'une croix. Par conséquent, ceux qui ont l'habitude de voyager de cette manière se voient sans doute obligés de prier plus fréquemment qu'à la maison; car, à chaque saut que nous avons franchi depuis Montréal, nous avons vu bon nombre de croix debout; et dans un cas, j'en ai compté plus de trente! »

La dernière église que les voyageurs verraient avant de plonger dans l'inconnu prenait donc un sens grave, vu le péril du voyage. L'église catholique à Sainte-Anne (baptisée Sainte-Anne-de-Bellevue de nos jours), à l'extrémité occidentale de l'île de Montréal, était dite « l'église des voyageurs ». Aux rapides de Sainte-Anne, ceux-ci devaient accoster pour entreprendre un portage, chargeant une partie de leur matériel, ou sa totalité, sur leur dos. C'est ici qu'ils s'arrêtaient parfois pour dire une dernière prière devant l'autel, et pour présenter une offrande au sanctuaire de Sainte-Anne. S'éloignant dans leurs embarcations, ils pouvaient encore voir le clocher et entendre le carillon. Les voyageurs choisirent d'ailleurs la bonne Sainte Anne pour patronne.

La nostalgie de la sécurité qu'entraînait une vie dangereuse gravait l'image de cette église dans l'esprit des voyageurs, même à deux mille milles de distance. Sir John Franklin, que ses voyages dans l'Arctique — et le mystère de sa disparition — devaient rendre célèbre, conte un incident qui s'est déroulé vers 1825, alors qu'il explorait la région du fleuve Mackenzie. L'un des membres canadiens-français de son expédition éprouva un tel désir de présenter une nouvelle offrande au sanctuaire de Sainte-Anne « qu'arrivé sur la côte la plus septentrionale d'Amérique, à plus de deux mille milles du lieu en question, il sollicita une avance sur ses gages pour que, grâce à un ami qui rentrait, il puisse verser un don supplémentaire au sanctuaire de sa sainte patronne. »

Sur la berge de Lachine, des visiteurs d'outre-mer restaient stupéfaits à l'idée que des hommes voyagent si loin, et prennent de tels risques, dans « l'un des moyens de transport les plus frêles que l'on puisse concevoir. » Même les gros canots de Montréal, qui servaient aux lourdes cargaisons du commerce des fourrures, n'étaient rien d'autre qu'une écorce tendue sur un squelette de bois léger. Un mince plancher de cèdre fendu servait de fond. On étendait une épaisse couche de gomme d'épinette ou de pin sur les coutures. Ces fragiles embarcations réussissaient pourtant à contenir une cargaison de trois tonnes. Si l'on ajoute le poids supplémentaire de l'équipage, et de quelques passagers avec tous leurs bagages, cela pouvait atteindre les quatre tonnes. Chargés au maximum, les canots s'appesantissaient tellement que l'eau pouvait monter jusqu'à six pouces des plats-bords. Néanmoins, ces canots-là franchissaient les rapides et affrontaient les vagues quasi océaniques du lac Supérieur.

Les extraordinaires périples des voyageurs, depuis Lachine

jusqu'au Grand Portage, sur la rive nord du lac Supérieur, n'étaient que la routine du trafic des fourrures. Ils commençaient chaque année, en mai, dès le dégel des rivières. Cependant, chaque voyage, avec son lot d'épreuves et de dangers, ses défis et ses luttes, représentait une épopée en soi.

Robert Michael Ballantyne, représentant de la compagnie de la Baie d'Hudson ému par l'intensité dramatique de ces odyssées, raconte avec quel émoi, à l'époque, un poste de la compagnie du Nord-Ouest accueillait la brigade des canots de Lachine qui apparaissait devant le Grand Portage. « Celui qui n'a pas vécu cette expérience, écrivait-il, n'arrivera pas à se faire une idée juste de l'effet saisissant que produisait cette arrivée. J'ai vu quatre canots contourner prestement un promontoire et surgir sous mes yeux, alors qu'au même instant, le romantique *Chant du voyageur* retentissait; tout cela au rythme vigoureux des pagaies. Et j'ai ressenti un vif enthousiasme à la vue d'un tel spectacle. Mais alors, quels devaient être les sentiments de ceux qui avaient traversé un long et morne hiver dans le Nord-Ouest désert: tout à fait coupés de l'activité fébrile du monde civilisé, ils apercevaient trente ou quarante de ces canots pittoresques qui surgissaient devant eux, à demi voilés par les embruns qui jaillissaient des pagaies vermillon, et ces hommes, qui avaient triomphé des innombrables obstacles d'un long périple à travers des contrées sauvages, chantaient, avec toute la puissance virile de leurs trois cents voix, un de leurs airs entraînants. La mélodie, montant et faiblissant au gré de la brise se faisait plus soutenue et claironnante à leur approche, jusqu'à devenir, grâce à la puissance cuivrée de ces voix bien timbrées, un long cri de joie enthousiaste ! »

La journée d'un voyageur comportait peu de répits. C'était une corvée constante et pénible, de l'aube à la brunante. On ne s'arrêtait que quelques minutes pour déjeuner et dîner. On ne veillait guère, la nuit, autour du feu de camp, car la fatigue et l'obligation de se lever au point du jour avaient tôt fait de plonger tout le groupe dans un profond sommeil.

Même surchargés, les canots devaient avancer avec célérité. Il fallait que les avirons des voyageurs fendent l'eau quarante à cinquante fois la minute. Gouverneur de la compagnie de la Baie d'Hudson au Canada, Sir George Simpson exigeait même un tempo encore plus accéléré: il lui fallait soixante coups d'aviron à la minute. Un canot léger, à cette allure, pouvait parcourir jusqu'à quatre-vingt-dix ou cent milles par jour. Même les canots lourds, ceux de Montréal, parvenaient à surpasser en vitesse tout autre type d'embarcation. Lors d'une visite au Bas-Canada, vers la fin du dix-huitième siècle, Isaac Weld notait : « Il est merveilleux de constater quelle vélocité peuvent atteindre quelques pagayeurs adroits dans l'un de ces canots. En quelques minutes, ils ont laissé loin derrière eux un bateau à quille de la meilleure qualité, manoeuvré par le même nombre d'hommes, munis de rames. »

Les voyageurs faisaient halte à intervalles réguliers, le temps de fumer une pipe et de se reposer un peu. Bientôt, ils reprenaient les avirons, frais et dispos. On pouvait mesurer le progrès d'un canot au moyen de ces pauses « bourre-pipe ». On calculait ainsi que « trois pipes » représentaient douze milles.

Sir George Simpson se montrait toujours un peu plus exigeant que les autres patrons. Il levait le camp et appareillait à deux ou trois heures du matin. Les hommes ne faisaient escale, pour le petit déjeuner, que vers les huit heures, après cinq ou six heures de canotage. Simpson bousculait ce repas matinal, pour que les canots reprennent leur course au plus vite. Le repas du midi se prenait à une heure de l'après-midi, et durait de huit à dix minutes. Sir George se faisait trancher de la viande froide et verser un verre de vin par un serviteur. À huit heures du soir, ils accostaient enfin pour dîner, après quinze ou seize heures d'un exercice éprouvant.

Cet effort surhumain des hommes, pour soutenir un tel rythme à l'aviron, cessait aux portages, mais pour être aussitôt remplacé par l'épuisant transport du canot et de sa charge. Les portages, obligatoires chaque fois qu'un cours d'eau n'était plus navigable, étaient très fréquents. Leur distance variait. Le plus long de tous, dans les territoires exploités par la compagnie de la Baie d'Hudson, s'étendait sur douze milles. Nombre de portages faisaient plusieurs milles. Même quand un portage était bref, il côtoyait peut-être une rivière indomptée et dangereuse qui nécessiterait une succession d'autres efforts semblables. Sur une certaine distance de la rivière Winnipeg, il fallait exécuter dix portages en un jour ! Aucun ne dépassait un quart de mille ; plusieurs ne couvraient que quelques mètres. Les porteurs ne les trouvaient pas moins fastidieux. Chaque mille parcouru exigeait plusieurs transferts éreintants de la cargaison.

Le porteur s'imposait un lourd fardeau. Archibald Mac Donald, agent responsable à la Baie d'Hudson, évaluait la charge moyenne à cent quatre-vingts livres. Le « portageur » l'endossait en deux ballots. L'un était censé s'ajuster à la chute des reins. L'autre, généralement une sorte de poche, sinon un baril ou une boîte, s'appuyait entre les omoplates. Une partie du poids était soutenue au moyen d'une courroie de cuir qui ceignait le front. Lorsqu'un voyageur soulevait sa charge pour entreprendre un portage, il partait d'un bond, à petits pas pressés. Il avançait au trot, jambes et tronc légèrement fléchis, et maintenait cette allure même sur un terrain accidenté ou en pente.

On ne se plaignait pas de ces fardeaux. Les voyageurs se faisaient gloire de leur robustesse. Le moins costaud refusait de portager moins de cent quatre-vingts livres. Il aurait été déshonorant de s'avouer incapable d'une charge égale à celles des autres. Certains voyageurs particulièrement vigoureux déployaient leur force en prenant des bagages de surplus. Un voyageur de la Baie d'Hudson était renommé pour avoir porté six cents livres.

Le portage des canots s'avérait une autre épreuve de force et de ténacité. Les canots de Montréal pesaient environ six cents livres. Ils étaient renversés et portés par quatre hommes: deux par devant, deux autres par derrière. Un officier des *Royal Engineers* relatant ses souvenirs de voyage des années 1830, établit une singulière comparaison en décrivant la demi-course des voyageurs qui portageaient un canot. « L'allure de déplacement, écrivait-il, s'apparente à celle de la chaise à porteurs, mais en plus vif. »

Tout au long des parcours en canot, les voyageurs éprouvaient mille désagréments. La pluie les trempait souvent jusqu'aux os. Mouillées par une nuit d'averse, les couvertures devaient être rapidement enroulées pour la prochaine étape du voyage. N'ayant pas toujours l'occasion de les étendre au soleil, les voyageurs se voyaient maintes fois obligés de dormir la nuit suivante, ou plusieurs autres encore, sous des couvertures encore humides.

À première vue, la vie des voyageurs — austère, fort hasardeuse et astreignante — ne semble receler presqu'aucune séduction. Elle n'est pas moins celle que plus d'un Canadien français préférait entre toutes. Une fois qu'ils l'avaient connue, ils étaient peu enclins à s'établir sur une ferme et à échanger l'aviron pour le sarcloir. De passage à Lachine durant l'automne de 1818, l'explorateur écossais, John M. Duncan, observait: « Les peines et les privations d'une telle existence doivent être très grandes; pourtant, les Canadiens de ces parages l'adoptent plus que toute autre, et les villages sont tellement peuplés de familles de voyageurs, qu'au cours des mois d'été, on n'y rencontre à peu près que des femmes et des enfants. »

Quant à l'embauchage des voyageurs, Montréal en était le centre. On ne trouvait pas, dans toute l'Amérique du Nord, de voyageurs mieux trempés. John Jacob Astor l'apprit en 1810. Il projetait alors d'établir son poste de traite, Astoria, à l'embouchure du Columbia, et convoitait le trafic des fourrures du Pacifique. Il savait que la compagnie du Nord-Ouest de Montréal aspirait également à ce commerce. Dans cette rivalité, la compagnie du Nord-Ouest détenait l'avantage de disposer, à Montréal, de la crème des voyageurs. Astor délégua ses représentants au nord, dans le but d'engager des voyageurs de Montréal pour sa propre expédition. Le premier contingent partirait de New-York à bord de son navire, le *Tonquin,* pour gagner le fleuve Columbia, après avoir doublé le cap Horn.

L'insouciante joie de vivre des voyageurs de Montréal se vérifia une fois de plus à leur arrivée à New-York. Ils avaient décidé de donner un spectacle aux New-Yorkais, et ce fut une réussite. Washington Irving décrit cette arrivée: « Un aspect du tempérament fougueux et de la fierté professionnelle de ces gens fut révélé à travers la façon joyeuse et fanfaronne dont ils débarquèrent à New-York pour se joindre à l'entreprise. Ils entendaient régaler et étonner la population des « États » par le spectacle d'un bateau canadien et d'un équipage canadien. En conséquence, ils appareillèrent un grand quoique léger canot d'écorce, semblable à ceux qu'on utilisait pour la traite des pelleteries; ils le transportèrent dans un chariot, depuis les bords du Saint-Laurent jusqu'au lac Champlain; ils traversèrent le lac, de bout en bout, à bord de l'embarcation; ils la hissèrent de nouveau dans un chariot pour se rendre à Lansingburg et là, la mouillèrent sur les eaux de l'Hudson. Ils suivirent gaiement le cours de la rivière par un beau jour d'été, faisant résonner ses berges, pour la première fois, de leurs vieux airs marins de France; ils dépassaient les villages, criant et huant, pour que les braves fermiers hollandais les prennent pour une bande de sauvages. Sur cet élan, par un calme soir d'été, ils franchirent le cap de New York, en chantant à pleines voix au rythme régulier des avirons, au grand émerveillement de ses habitants qui n'avaient jamais auparavant assisté, sur leurs eaux, à pareil phénomène nautique. »

Ainsi que l'avait remarqué Washington Irving, les voyageurs

canadiens-français étaient vifs, enjoués, pleins d'entrain. Daniel Harmon les estima « peu enclins aux dépressions prolongées, même dans les circonstances les plus adverses ». Ils quittaient habituellement Lachine « le coeur lourd et les yeux pleins de larmes », car ils laissaient parents et amis derrière eux. Mais, en un rien de temps, ils redevenaient « gais comme pinsons ». Ils étaient parfois contrariés lorsqu'on les tirait du sommeil, à l'aurore, sinon plus tôt. Dans la brume matinale, ils maniaient l'aviron en silence. Mais le lever du soleil les mettait d'humeur à chanter une mélodie riveraine, et bientôt les avirons retrouvaient leur rythme joyeux. Ils affectionnaient leurs airs comme les marins, leurs chansons de bord.

Les voyageurs avaient aussi leur côté rebutant. La sauvagerie des pays d'En Haut pouvait prendre le dessus. Facilement irritables, ils avaient la main prompte. Mais il y avait « de la complaisance et de la bonté sous tout cela ». Ils s'emportaient peut-être mais ils nourrissaient peu de rancunes. Leur courtoisie naturelle impressionnait comme « leur obligeance extrême pour les étrangers ».

Le docteur W. George Beers de Montréal les vit rentrer des pays d'En Haut à la civilisation : « Leur arrivée à Lachine, à neuf milles de Montréal... est un moment de grand émoi. L'aspect fruste et bigarré de ces hommes, et la distance qu'ils ont parcourue, éveillent de la sympathie à leur égard et drainent des centaines de curieux de la ville. Leur présence en ville est fort étrange. Fixant tout ce qu'ils voient d'un air ébahi, ils déambulent le long des rues dans une hâte et une agitation telles qu'ils se heurtent contre les passants et butent contre les moindres obstacles. Ils... s'esclaffent de rire devant l'ampleur des crinolines de ces dames et la recherche de leurs chapeaux ; découvrent derrière les vitrines tout le méli-mélo de ce qui, à leurs yeux, semble des nouveautés, et s'amusent cordialement de ce qu'ils tiennent pour l'absurdité et la bizarrerie des gens de la ville. »

Les voyageurs formaient une race à part — distincte des amis et parents qui demeuraient à la maison. Quand ils revenaient à Montréal, c'était en étrangers, presqu'en aliénés, frappés d'étonnement devant ce qu'ils voyaient et dédaigneux tout à la fois. L'univers du voyageur était le pays d'En Haut. Il n'éprouvait nul autre besoin, nulle autre convoitise.

Le Roc des Irlandais

— XIV —

Gardien du pont Victoria:

Le roc irlandais

C'est une masse énorme, fruste, irrégulière, sortie du fleuve Saint-Laurent. Dressée sur sa base, elle s'élève à dix pieds de hauteur. Le temps et la suie de plus d'un siècle l'ont presque complètement noircie. Imposante et solennelle, elle se profile dans la nuit et semble méditer. Elle repose sur un îlot d'herbe, rue Bridge, près de l'entrée du pont Victoria. Une circulation dense ébranle la chaussée qui bifurque à ses côtés. L'endroit n'est guère paisible et pourtant, cette pierre veille sur les ossements de milliers d'immigrants irlandais inhumés sur place et aux alentours. Quiconque franchit le trafic de la rue Bridge pour s'approcher du roc, peut lire ces mots en levant la tête:

Pour
préserver de la profanation
les restes de 6000 immigrants
morts de la fièvre des navires
A.D. 1847-48
cette pierre
est érigée par les travailleurs de
Messieurs Peto, Brassey et Betts
responsables de la construction
du pont Victoria
A.D. 1859

Les ouvriers avaient déterré des os en creusant les abords du nouveau pont. Ils avaient troublé la paix des morts. Aussi, lorsqu'ils apprirent de quelle façon ces pauvres gens étaient décédés, ils entendirent faire quelque chose pour préserver leurs restes d'une nouvelle profanation. Ce gros boulder, tiré du lit du fleuve pour édifier l'une des piles du pont, semblait un monument naturel. À leur manière, ils rendirent hommage aux morts. Le « Roc irlandais », le plus simple des monuments de Montréal, demeure aussi, à bien des égards, le plus émouvant.

La « fièvre des navires » tenue pour la cause de ces morts était, en réalité, le typhus. On lui attribuait également d'autres appellations familières, telles que « fièvre d'hôpital » ou « fièvre des prisons ». Elle était définie comme étant « essentiellement la fièvre des pauvres, des mal-nourris et mal-logés ». Les immigrants irlandais furent des victimes spontanées. Ils vivaient dans la misère; la pénurie des récoltes de pommes de terre les avait presque affamés. Enfin, longtemps mal logés là où ils avaient vécu, ils furent encore plus misérablement entassés dans les villes portuaires d'Irlande, en attendant de s'embarquer pour l'Amérique du Nord. Les Irlandais surnommèrent le typhus, « fièvre des navires », parce qu'un très grand nombre d'entre eux tombèrent malades au cours de la traversée de l'Atlantique. Certains de ces immigrants étaient vraisemblablement typhiques lors même de l'embarquement car l'une des caractéristiques insidieuses de cette maladie est une période d'incubation, sans symptôme, pouvant durer jusqu'à douze jours. Des armateurs rapaces ordonnèrent aux capitaines d'appareiller, en dépit des cas de typhus rapportés parmi les passagers. Même si un bateau quittait l'Irlande sans malades déclarés à son bord, le mal pouvait se manifester chez ceux qui en portaient déjà les germes, bien qu'ils aient, jusque-là, navigué sans symptôme. La « fièvre des navires » se propageait vite au cours de la longue traversée; les navires entretenaient précisément cette promiscuité et cette malnutrition qui favorisaient la maladie.

Au printemps de 1847, le docteur Michael McCulloch de la Faculté de médecine à McGill rendit un rapport inquiétant à la Commission de la santé de Montréal. Il disait que « en longeant le quai à l'extrémité supérieure du port au cours de l'après-midi, il avait remarqué plusieurs malades étendus là depuis des jours et, parmi eux, un cas de fièvre très dangereux. » Les navires accostaient à la suite; par milliers, les passagers gagnaient le rivage. Les cas de typhus commençaient à se multiplier.

Il fallait prendre des mesures d'urgence. Les immigrants devaient être logés mais uniquement à proximité du port afin qu'ils n'approchent pas de la ville pour y propager l'infection. Le maire de Montréal, John Easton Mills, cumulait aussi la fonction de président de la Commission de l'immigration. Il ordonna la construction de baraques de bois temporaires à la Pointe Saint-Charles. Ils tiendraient lieu d'hôpitaux. Au début, trois baraques semblaient suffire; puis, d'autres s'ajoutèrent pour répondre aux besoins grandissants. À la fin, vingt-deux abris durent être construits. Ils furent répartis sur une grande distance, depuis les bords du fleuve jusqu'en un point donné, à l'est de la rue Bridge. Ces hôpitaux improvisés se transformèrent bientôt en charniers. Les malades y furent entassés; aucuns soins adéquats n'y étaient prodigués. Malades, mourants et cadavres gisaient côte à côte. Dans les cours attenantes aux « baraques de fièvre », des cercueils de toutes les tailles s'empilaient. Enfin, circonstance aggravante, une chaleur tropicale s'abattait sur Montréal, cet été-là.

Le 17 juin 1847, la nouvelle se répandit au couvent des Soeurs Grises: des centaines d'immigrants irlandais agonisaient sans soins dans les baraques du port. La supérieure des Soeurs Grises, mère McMullen, partit se rendre compte de la situation, emmenant soeur Sainte-Croix avec elle. Elles pénétrèrent dans les hangars. La vue de ces horreurs les épouvanta. La Mère supérieure rédigea aussitôt un rapport qu'elle fit parvenir à l'Agent d'émigration. Elle demandait que l'on permette à ses soeurs de s'occuper des malades dans les baraques. Celui-ci s'empressa d'y consentir. Elle fut autorisée d'agir comme bon lui semblerait.

Mère McMullen se dirigea vers la salle du couvent où les soeurs, jeunes et âgées, s'étaient réunies pour l'heure de détente. C'était la période quotidienne de liberté et de gaîté. Elle entendait les conversations animées, les rires qui fusaient d'un groupe à l'autre. Quand elle entra dans la pièce, les religieuses, comme à l'accoutumée, se levèrent pour l'accueillir. Elle gagna son fauteuil dans le cercle. Après une pause, l'on rapporte qu'elle s'adressa à elles en ces termes: « Mes soeurs, j'ai été témoin d'un spectacle, aujourd'hui, que je n'oublierai jamais. Je suis allée à la Pointe-Saint-Charles et j'ai trouvé des centaines de malades et de moribonds serrés les uns contre les autres. L'odeur nauséabonde qui émane d'eux ferait défaillir la constitution la plus robuste. L'atmosphère en est imprégnée et l'air, rempli des gémissements des victimes. La mort est présente sous son aspect le plus effroyable. Ceux qui élèvent ainsi la voix dans leur agonie sont des étrangers, mais leurs mains implorent du secours. Mes soeurs, ce fléau est contagieux. » Sur ces mots, elle aurait éprouvé un malaise. Lorsqu'elle recouvra la voix, elle ajouta simplement: « En vous envoyant là-bas je signe votre arrêt de mort, mais vous êtes libres d'accepter ou de refuser. »

Quelques minutes de silence suivirent, qui permirent aux religieuses de se remémorer leurs voeux. Le jour où elles avaient été admises dans l'ordre, elles avaient entendu, sur les marches de l'autel, l'évêque leur demander: « Avez-vous considéré attentivement et réfléchi sérieusement au geste que vous êtes maintenant sur le point de poser? Qu'à partir de ce jour, votre vie est destinée au sacrifice, et même à la mort, si la gloire de Dieu ou le bien d'autrui l'exige? » Et elles, prononçant leurs voeux, avaient répondu: « Oui, Monseigneur; et je consens à entreprendre cette tâche avec l'aide de Dieu. » Cet engagement était maintenant soumis à l'ultime épreuve. Les religieuses se levèrent toutes et vinrent se placer devant la Supérieure. Ensemble, en une sorte de choeur, elles annoncèrent: « Je suis prête. » Mère McMullen désigna huit d'entre elles. Le lendemain matin, elles s'acheminaient vers la Pointe-Saint-Charles.

Ce qu'elles virent fut décrit par l'une d'elles: « Je me suis presque évanouie en approchant l'entrée de ce sépulcre. La puanteur me suffoquait. J'ai vu des êtres aux traits déformés et aux corps blêmes amoncelés sur le sol qui ressemblaient à autant de cadavres. Je ne savais que faire. Je ne pouvais bouger sans heurter l'une ou l'autre de ces impuissantes créatures au passage. Toute à ma confusion, je fus enfin rappelée à mon devoir à la vue des efforts frénétiques d'un pauvre homme qui tentait de se dégager de ce monceau de corps prostrés, son visage exprimant un sentiment d'horreur intense. Avec précaution, posant un pied d'abord, puis l'autre, là où se trouvait un espace, je réussis à m'approcher du patient... Nous nous sommes rapidement mises à l'ouvrage. Ayant dégagé un petit couloir, nous avons aussitôt sorti les cadavres, puis, après avoir répandu du foin sur le plancher, nous y disposions les survivants qui devaient bientôt être écartés à leur tour. »

Comme les arrivants continuaient d'affluer, d'autres baraques furent installées et soeur McMullen fit appel aux services d'autres religieuses. Jusqu'au 24 juin, aucun cas de maladie ne fut relevé parmi elles. La longue période d'incubation du typhus en cachait les symptômes. Or le 24, deux des soeurs ne se présentèrent pas aux matines. De jour en jour, le nombre des victimes augmentait: au point où trente des quarante professes du couvent se trouvaient à l'article de la mort. Quand les Soeurs Grises ne purent plus s'acquitter de leur oeuvre aux baraques, elles furent remplacées par les Soeurs de la Providence. Peu après, Monseigneur Bourget permit aux Soeurs de l'Hôtel-Dieu de quitter leur cloître pour prendre part au travail amorcé parmi les immigrants. Mais les Soeurs Grises ne s'étaient retirées que le temps de rétablir leurs soeurs malades et d'inhumer les sept qui avaient succombé. Dès septembre, elles reprenaient leur place aux hangars. Un témoignage sur ces communautés à l'ouvrage fut rendu par un visiteur du nom de William Weir. « La scène la plus triste, selon lui, était de voir les soeurs, au risque de leur propre vie, porter les femmes et les enfants malades dans leurs bras, des navires aux ambulances à destination des hangars. »

Les ecclésiastiques mettaient également leur vie en jeu dans les abris. Les risques étaient plus considérables pour le clergé catholique romain. Leur ministère exigeait d'entendre les confessions des agonisants. Entendre des confessions dans les abris encombrés, alors que deux ou trois personnes partageaient souvent le même lit, supposait que l'oreille du confesseur se tint tout près de la bouche du pénitent. Les prêtres ne reculèrent pas devant un procédé aussi dangereux et rebutant. Plusieurs furent contaminés par le souffle haletant des moribonds. Les pertes chez les prêtres anglophones de Montréal furent si lourdes qu'on appela au secours les Jésuites de Fordham à New-York. Ils acceptèrent sans hésiter. Un groupe de Jésuites de Fordham arriva à Montréal pour prêter main-forte dans les hangars.

Bien que la plupart des immigrants irlandais étaient de religion catholique romaine, le clergé anglican de la ville, présent dans les abris, se portait aussi à leur aide. Parmi eux, le révérend Mark Willoughby, premier recteur de l'église anglicane de la Trinité (aujourd'hui *Trinity Memorial*). Il se rendit lui-même aux abris et organisa un groupe de volontaires au sein de sa communauté. Willoughby contracta le typhus. Il fut soigné par le capitaine Maximilian Montagu Hammond de la Brigade des Fusiliers de la garnison britannique. « Son service auprès des émigrés malades dépasse presque l'entendement, rapporte le capitaine Hammond. Il leur fournit du lait et autres consolations qu'il distribua de ses mains, passant d'un chevet à l'autre, sans tenir compte de la race ni de la croyance... » Il mourut le 15 juillet 1847, âgé de cinquante et un ans.

Le lieutenant Lloyd, ancien membre de la *Royal Navy,* figurait parmi les volontaires formés par le révérend Mark Willoughby. (D'anciens documents le disent capitaine, mais on grava le grade de lieutenant sur sa pierre tombale.) Il résidait à Montréal avec Mark Willoughby. Selon le capitaine Hammond, le lieutenant Lloyd « était l'âme de notre petite bande; débordant d'amour, de foi et de zèle pour la cause de Dieu... Peu après l'arrivée des émigrants, il s'émut profondément de leur pitoyable sort, et prit l'habitude de passer des journées entières dans les baraques, pour dispenser nourriture et médicaments, prêter l'oreille aux tristes récits, pour conseiller et secourir dans la mesure de ses moyens. Pendant quelques semaines, il continua de se dépenser infatigablement de cette manière, jusqu'à ce que, finalement, il fut lui-même prit de fièvre et couché sur un lit de douleur dont il ne se releva jamais. »

Le lieutenant Lloyd, le capitaine Hammond et d'autres avaient coutume de se rencontrer à intervalles réguliers pour des assemblées de prière et de chant religieux. Un jour qu'ils étaient assis autour du feu, tout juste après avoir entonné l'hymne d'Isaac Watts, « *Not all the blood of beasts* », le lieutenant Lloyd se confia au capitaine Hammond: « J'ai un curieux penchant pour cet hymne. J'aimerais qu'il soit chanté par six jeunes hommes quand ils descendront mon cercueil dans ma tombe. » Le capitaine Hammond n'oublia pas cette requête. À l'enterrement du lieutenant Lloyd au cimetière militaire de la rue Papineau, six jeunes hommes chantèrent cet hymne.

Le maire Mills lui-même compta parmi les victimes. Américain natif de Leland au Massachusetts, il était monté à Montréal où il devint bilingue, prospère, charitable et populaire. En sa qualité de maire, il modifia l'attitude des Montréalais en colère qui protestaient contre le débarquement des immigrants atteints du typhus. Des manifestations bruyantes se tenaient au Champ-de-Mars. L'arrivée d'un bateau bondé de passagers typhiques venus des états irlandais du secrétaire britannique des Affaires étrangères, Lord Palmerston, souleva un tollé général. Une rumeur voulait que des citoyens révoltés aillent à la Pointe-Saint-Charles renverser les baraques dans le fleuve.

Le maire Mills ne se contenta pas d'exhorter les citoyens à la patience mais il se porta aussi volontaire dans les abris. Contaminé par le typhus, il mourut le 12 novembre 1847. Le *Herald* de Montréal commenta sa mort: « Sa charge, en réalité, ne semblait faire appel qu'à l'administration générale des hangars; mais rien moins que la bienveillance d'un coeur tendre n'aurait pu inspirer ses visites assidues au chevet des malades et des mourants. » Le gouverneur-général, le comte d'Elgin, écrivit dans sa dépêche à Earl Grey, secrétaire d'État aux colonies: « Aujourd'hui, le maire de Montréal est mort, un homme des plus estimables qui a beaucoup accompli pour les immigrants — et auxquelles fermeté et philanthropie nous devons principalement que les abris des immigrants n'aient pas été basculés dans le fleuve par la population de la ville durant l'été. Il fut victime de son zèle... »

La mort dans les abris démembrait les familles immigrantes. La séparation était prompte et foudroyante. Un Montréalais, J.W. Shaw, en exposa deux cas types: « J'ai rédigé une lettre pour un individu, à l'intention de ses amis de Hamilton. Par ce biais, je fis connaissance avec sa famille. Le lendemain, il m'apprit qu'il avait conduit sa femme, souffrant d'un mal de tête, à ... l'hôpital. Le jour suivant, je vis qu'il était troublé, et l'interrogeai au sujet de son épouse, présumant que son état s'était aggravé. « Oh, répondit-il, elle s'est retranchée. » J'ai bientôt su ce que cela signifiait — qu'elle était morte et enterrée. À peine vingt-six heures s'étaient écoulées depuis qu'il l'avait conduite là-bas. »

« Un jeune homme et sa soeur voyageaient à bord de notre navire. Il avait été instituteur en Irlande et chérissait sa soeur tendrement. Aux Tanneries (Saint-Henri), un faubourg de Montréal, il avait trouvé un logement. Sa soeur tomba malade et comme l'on avait émis l'ordre formel d'isoler les malades sans délai, il la transporta aux hangars. De crainte qu'elle ne soit privée d'une douceur dont elle aurait eu envie, il lui remit deux souverains, et lui fit apporter une robe de soie afin qu'elle puisse revenir à la maison, quelques jours plus tard, vêtue de façon soignée et respectable. Trois jours après, il se présenta aux abris. Pas une relique de sa chère soeur, ni d'argent, de vêtements ou le moindre effet personnel ne lui furent jamais rendus. Pauvre garçon, vraiment, il avait toute ma sympathie. »

Les victimes du typhus ne se limitaient pas à ceux qui en mouraient. Les victimes vivantes étaient les enfants, les orphelins qui survivaient à leurs parents transportés aux fosses. Ainsi qu'en témoigne un compte-rendu: « On comptait les enfants par centaines... le bambin détaché du sein de sa mère décédée ou des bras d'un parent plus âgé qui tentait en vain d'apaiser ses pleurs, le bébé rampant, appelant à grands cris son père et sa mère qui ne lui répondraient désormais plus, et les enfants plus grands, en larmes, cherchant frénétiquement à s'échapper pour retracer des parents déjà sous terre. Cette scène dans le pavillon des enfants défiait toute description, ajoutant à l'angoisse du père ou de la mère au seuil de la mort. »

Les Soeurs Grises se chargèrent du sort de plusieurs orphelins. L'orphelinat Saint-Patrick de Montréal, ouvert en 1847, avait été confié à leurs soins. L'évêque catholique romain de Montréal, monseigneur Ignace Bourget, fit tout en son pouvoir pour trouver des foyers aux orphelins. Il lança un appel à la population rurale; elle accourut de toutes les paroisses avoisinantes. Chaque famille prit un ou deux enfants en adoption.

Quant aux disparus, les travailleurs de la construction du pont Victoria, dont plusieurs étaient immigrants, choisirent pour honorer leur mémoire, un énorme roc sorti du fleuve — pierre qui reposait alors à côté de la voie ferrée. L'endroit fut visité en 1870 par un prêtre irlandais, le père M.B. Buckley, venu en Amérique du Nord recueillir des fonds pour l'édification d'une cathédrale à Cork. Toutes les transformations modernes qui avaient, depuis, modifié l'apparence des environs de la pierre, n'avaient pas effacé le souvenir de la tragédie. « Je suis venu en compagnie du père Hogan, écrivait le visiteur d'Irlande, contempler l'endroit où tant de mes compatriotes périrent si misérablement. Je voyais ce coin désolé, enceint d'une frêle palissade — là, les nombreux tertres funéraires — et, dominant tout cela, au centre, un énorme roc... Dieu ait leurs âmes ! »

Les ouvriers qui avaient érigé cette pierre imposante comptaient l'avoir dressée en cet endroit pour toujours. Or, sa situation se révéla malencontreuse. Montréal prit de l'expansion ; le pont Victoria était de plus en plus achalandé. Il semblait aux esprits pratiques que « le roc irlandais » obstruait la voie du progrès. En 1900, une compagnie de chemin de fer, le *Grand Trunk*, décida de déplacer la pierre à plusieurs rues de là. Elle serait élevée sur le square Saint-Patrick. La compagnie ne consulta personne ; elle n'émit aucun avis public. Vers neuf heures du matin, le 21 décembre 1900, elle hissa « le roc irlandais » à l'aide d'une grosse grue à vapeur et lui fit longer la voie ferrée, rue Saint-Patrick, à bord d'un wagon plat, pour le déposer dans un coin du square Saint-Patrick.

Le *Grand Trunk* avait espéré éviter la controverse en opérant à la dérobée. Il ne tarda pas à réaliser son erreur. La communauté irlandaise fit grand tapage. Elle exigea que l'on remette immédiatement le monument sur son emplacement légitime initial. Prétendant servir l'intérêt du public, le Chemin de fer refusa de céder à des réclamations sentimentales. Il hésitait cependant à exécuter ses plans selon lesquels la voie ferrée passerait sur le premier site du monument. La controverse s'éternisa plusieurs années. En 1910, le *Grand Trunk* passa à l'attaque. Il adressa une requête formelle au Conseil des commissaires des chemins de fer par laquelle il sollicitait le droit d'exproprier l'ancien site, alléguant un meilleur accès au pont Victoria.

Le Conseil des commissaires des chemins de fer annonça sa décision en 1911. La cause irlandaise fut renforcie dès que preuve fut faite que l'ancien site appartenait en réalité à l'Évêque anglican de Montréal. Ce fait accusait le *Grand Trunk* de violation du droit de propriété. En effet, Thomas Brassey, l'une des entreprises de construction du pont Victoria, avait cédé le monument et son site à l'Évêque anglican de Montréal. Il ne s'agissait pas exactement d'une vente mais d'une affaire de confiance, conclue par le paiement d'une somme nominale de cinq dollars. Le monument et son terrain devaient être confiés à la garde de l'Évêque de Montréal et de ses successeurs. Le Conseil prit ce point légal en considération. Mais, en même temps, il concilia sentiment et utilité. Le terrain fut réduit au quart de sa dimension originale. La pierre fut déménagée près de quinze pieds à l'est du lieu où elle avait d'abord été élevée. L'évêque de Montréal (à cette époque le très révérend John C. Farthing) vendit le lot au *Grand Trunk*. La compagnie de chemin de fer assuma la responsabilité de son perpétuel entretien.

Grâce à ce compromis, la question en litige fut résolue pendant un demi-siècle. Puis, Montréal commença à planifier Expo '67. La rue Bridge demandait à être élargie et redressée. Une fois de plus, « le roc irlandais » était accusé de faire obstacle à la bonne marche du progrès. En septembre 1965, le Conseil municipal fut appelé à voter les crédits nécessaires aux modifications de la rue Bridge. Les conseillers Kenneth McKenna et John Lynch-Staunton prirent la défense du roc. Celui-ci était sacré aux yeux de la communauté irlandaise, soulignaient-ils; il ne devait pas être déplacé. Le président du Comité exécutif de Montréal, Lucien Saulnier, soumit une proposition : que la communauté irlandaise forme son propre comité et présente ses recommandations. Le comité fut créé et les consultations avec l'administration civique eurent lieu. À la réunion du Conseil municipal du 21 juin 1966, Lucien Saulnier annonça la solution du Département de la planification et des travaux publics de Montréal. Le « roc irlandais » ne bougerait pas. C'est le tracé de la rue Bridge qui changerait à la place. Celle-ci passerait en fourche, de chaque côté d'un tertre central aux extrémités prolongées, sur lequel reposerait la pierre.

Au cours des ans, « le rock irlandais » fit plus que signaler un lieu de sépulture; il devint le dépôt sacré des ossements déterrés aux alentours. Manifestement, les enterrements avaient été effectués sur une surface territoriale étendue. Chaque fois que des os étaient exhumés, on les enterrait à nouveau près de la vieille pierre. Chaque fois que ces ossements sont trouvés (disait l'ambassadeur irlandais, John Hearne, lorsqu'on en déterra quelques-uns en 1942), « une voix monte de la vieille terre ».

Les traîneaux du Mont-Royal

— XV —

Plaisirs d'hiver et « muffins »:

Les traîneaux

Dans le vieux Montréal, on faisait bon accueil au froid et à la neige. C'étaient de bonnes conditions pour le traîneau. Un hiver doux, avec de faibles chutes de neige, supposait des chemins médiocres et une circulation malaisée. Un écrivain de 1833 disait: « N'oublions pas qu'un froid intense comporte aussi des avantages. Par le tassement de la neige, les pires routes deviennent les meilleures... À vrai dire, un hiver clément est tenu pour une grande calamité par les Canadiens... »

Un hiver enneigé et de bonnes routes pour les traîneaux étaient d'autant mieux accueillis que, jusqu'au milieu du dix-neuvième siècle, l'hiver était une longue période de vacances. Les affaires de Montréal dépendaient du port. Lorsque le fleuve gelait, entraînant la fermeture du port, les Montréalais et la population rurale avoisinante n'avaient presque rien d'autre à faire que de s'amuser jusqu'au printemps. Ceux qui voyageaient par traîneaux se rendaient souvent visite pour se divertir et faire la noce. Isaac Weld peignit ce tableau joyeux tel qu'il l'avait connu au cours des dernières années du dix-huitième siècle:

« L'hiver au Canada est la saison des divertissements collectifs. Le temps clair des gelées n'est pas commencé que toutes les préoccupations économiques sont mises de côté, et que chacun se consacre au plaisir. La population se rencontre à des soirées de franche gaieté données chez l'un et chez l'autre, et passe la journée en musique, à danser, à jouer aux cartes, ou tout autre jeu de société pouvant tromper l'ennui. À Montréal, en particulier... il semblait alors que la ville n'était habitée que d'une seule grande famille. »

Les traîneaux toujours disponibles pour des déplacements prompts et faciles étaient souvent des carrioles. Ces voitures à patins, transportant deux passagers et un cocher, étaient petites, simples, économiques. D'habitude, elles étaient tirées par un cheval. Si deux chevaux étaient utilisés, ils étaient attelés « en flèche » c'est-à-dire l'un derrière l'autre, car le tracé de la route pouvait s'avérer trop étroit pour qu'ils n'y circulent de front. Les carrioles étaient munies de patins très bas; il semblait parfois qu'elles glissaient sur leur caisse. Il s'en trouvait de différents styles, du plus fonctionnel au plus gracieux. Mais, tout compte fait, la carriole n'était pas un traîneau élégant, conçu pour impressionner le passant. Elle était recherchée pour sa commodité et sa rapidité — bref, c'était un moyen de se déplacer aisément.

Les carrioles semaient la bonne humeur. Dans ses tableaux d'hiver, Cornelius Krieghoff a su la capter. Elles étaient d'autant plus réjouissantes que ceux qui les empruntaient se rendaient généralement à quelque partie de plaisir à moins qu'ils n'en revinssent. Sur leur passage, l'air pur résonnait du joyeux tintement des grelots du harnais ou de l'avertissement des cornets. Grâce à la gaieté des passagers, même les trompes claironnaient un air de fête. Isaac Weld sentit cette allégresse quand il nota: « La vélocité du déplacement, et le bruit de ces grelots et de ces trompes semblent porter à l'enjouement car vous n'entrevoyez guère de visages mornes... »

Si joyeuses qu'aient été les clochettes, rapide la course ou réjouissant le but, nous serions portés à croire que les voyages en traîneau glaçaient les passagers jusqu'à la moelle. Or les Canadiens savaient alors se vêtir en fonction du climat; ils rendaient ainsi le transport en traîneau confortable. Vers 1819, un visiteur irlandais, Edward Allen Talbot, décrivait les préparatifs avisés d'un voyage en carriole et appréciait leur efficacité:

« Sur le point d'entreprendre une excursion dans ce véhicule, les Canadiens s'habillent très chaudement, s'enveloppant dans des peaux d'ours et de buffles. Les voyageurs des deux sexes enfilent de grosses chaussettes par-dessus leurs souliers et leurs bas, et protègent leurs mains dans des gants en peau de daine doublés de laine. Ils portent aussi toques de fourrure et capots. Règle générale, l'arrière du traîneau est bordé de peaux d'ours; et une peau de buffle, dont on a conservé la fourrure, couvre les voyageurs des pieds à la ceinture. Équipés de la sorte, ils bravent les temps les plus rudes et parcourent des distances de dix à quinze milles sans faire halte pour une consommation ou tout autre motif. »

Il n'y avait pas que les Canadiens, endurcis au froid de leurs hivers, qui savaient voyager en traîneau sans désagréments. Une fois qu'ils avaient appris comment se garder au chaud, les hommes des vieux pays découvraient qu'ils souffraient moins du froid qu'en Angleterre. L'un d'eux, le très révérend Ashton Oxenden, avait quitté sa « douce cure de Kent » en 1869 pour exercer la fonction d'évêque anglican de Montréal. « Nous sommes parfois sortis la nuit en traîneau, expliquait-il, quand le thermomètre tombait bien au-dessous de zéro, sans en ressentir autant les effets que par une nuit froide ordinaire en Angleterre. »

Les voyages en traîneau initiaient aux grands espaces. Le voyageur apprenait à voir les beautés du paysage d'hiver et à les apprécier. Circuler en traîneau au milieu des champs enneigés n'était pas sans rappeler une traversée en pleine mer: l'on prenait contact avec l'immensité du ciel. Les vieux récits évoquent les multiples splendeurs hivernales de l'aube, du crépuscule et de la nuit.

Robert Michael Ballantyne, de la compagnie de la Baie d'Hudson, relate comment il vécut la naissance du jour, en janvier 1846, alors qu'il partait de Lachine vers Montréal, en première étape d'un voyage en traîneau à Tadoussac: « Les étoiles étincelaient tandis que nous glissions sur la neige crissante, et les grelots du harnais tintaient gaiement alors que notre cheval s'élançait sur la route déserte. Des agglomérations de maisons blanches et des arbres solitaires gigantesques filaient à nos côtés, semblables, dans la lumière incertaine, à d'énormes monceaux de neige... En silence, nous nous laissions doucement entraîner jusqu'à ce que les lueurs lointaines de Montréal nous tirent de notre rêverie, puis, par intervalles, nous croisions un marcheur isolé, ou un traîneau bondé de passagers rieurs, enfouis dans la fourrure, au retour d'une veillée...

« Les lampes brûlaient encore comme nous quittions la ville bien que les premiers rayons de l'aurore illuminaient le levant. »

Se diriger vers l'ouest par une fin d'après-midi hivernale, face au « brasier du soleil couchant », se révélait une toute autre expérience. Un officier affecté au Commissariat de la garnison britannique dépeignit un crépuscule de janvier alors qu'il passait en traîneau aux abords du Saint-Laurent, vers les 1820: « À la tombée du jour, les teintes incandescentes qui inondaient le paysage désolé étaient particulièrement belles — telles que seul un crépuscule d'hiver canadien peut en offrir. Comme il touchait l'horizon, les dimensions du soleil éblouissant se magnifièrent. Une flamme d'un rouge profond rejaillissait sur les clochers métalliques et embrasait les carreaux des maisons blanches clairsemées. La neige lançait des étincelles pourpres et de couleurs prismatiques changeantes; enfin, de larges débris de glace, dispersés çà et là, complétaient ce tableau d'hiver dans toute son intensité. »

Ceux qui se promenaient en traîneau la nuit découvraient encore une nouvelle expression de la majesté de l'hiver. Comme ils voyageaient sous les étoiles, ou par un clair de lune, le vaste tapis de neige blanche reflétait les lueurs du ciel. Le sportsman, John J. Rowan, observait au Canada, au cours des années 1870, une clarté nocturne inconnue en Angleterre:

« Les nuits dans ce pays sont plus lumineuses qu'en Angleterre et grâce à la pureté de l'atmosphère, la lune et les étoiles sont beaucoup plus radieuses. Une calme et froide nuit d'hiver au Canada est un spectacle unique... Les étoiles ne paraissent alors guère plus éloignées que la cime des arbres et les jets lumineux de l'aurore boréale semblent des spectres fuyant au loin; la surface lisse de la neige réfléchit si bien la clarté de la lune et des étoiles qu'il est possible de lire un imprimé en petits caractères; le silence est des plus profonds... »

À Montréal, ceux qui se pliaient aux usages mondains possédaient traîneaux élégants et chevaux élancés. La vogue du traîneau — indice d'aisance — s'imposa au déclin du siècle dernier alors que Montréal s'engageait fortement dans une ère de prospérité. « Hors de la capitale de Russie, il n'est peut-être pas d'endroit où l'on puisse trouver des traîneaux mieux construits ou plus confortables qu'à Montréal », avançait un écrivain de 1881. « La diversité des modèles ne connaît pas de limites, chacun traduisant la fantaisie de son propriétaire, alors qu'un revêtement de fourrure de la plus belle qualité complète l'ensemble... et comme nos nobles bêtes goûtent la saison hivernale quand les chemins sont fermes et secs et l'air tonifiant! Vous les voyez tout fringants dans leur gracieux harnais... L'usage du fouet n'est nullement nécessaire car la musique des grelots est propre à stimuler l'animal de même qu'à plaire aux occupants du traîneau, emmitouflés dans leurs somptueuses pelisses. Chaque après-midi, depuis le jour de Noël jusqu'à la fin de mars, nos rues principales sont égayées et animées par les superbes équipages de la haute société. »

Bien qu'il enjolivait la saison hivernale, cet élégant défilé des rues principales de Montréal n'était pas représentatif du transport en traîneau. La plupart des traîneaux de Montréal, et à plus forte raison dans les régions rurales, restaient toujours les simples et rudes petites carrioles, ou les plus imposantes berlines à forte carrure. Elles étaient tirées par de simples et rudes petits chevaux.

Ces courageux petits chevaux étaient fort différents des animaux soignés de la « Haute » montréalaise. Il s'agissait de bêtes de peine. Ils n'étaient jamais frottés par l'étrille; leur crinière frisée et emmêlée ajoutait à leur excentricité. L'hiver, lorsque la crinière était à son plus touffu et hirsute, et qu'ils s'étaient échauffés par une longue course, des glaçons se formaient et pendillaient de toute part. Les longs glaçons accrochés à leurs naseaux faisaient dire à des visiteurs qu'ils ressemblaient à de drôles de petits éléphants.

Les chevaux mal pansés du Canada pouvaient être laissés dans les rues de Montréal, sans défense contre le froid, la neige et le vent. « Vous les verrez arriver de la campagne par les temps les plus rigoureux, remarquait un visiteur anglais, puis, abandonnés au grand vent sans couverture, des heures durant, pendant lesquelles leurs maîtres vaquent à leurs affaires ou prennent une consommation dans un débit de boissons; et ils ne paraissent pas être pis pour autant. » Leurs propriétaires se précipitaient dehors d'un seul trait quand le temps était venu de rentrer à la maison. Ils bondissaient dans leurs traîneaux, saisissaient leur fouet et, aussitôt, les chevaux qui attendaient au froid un moment plus tôt, peut-être même blancs de neige, s'élançaient « à bride abattue ». De semblables petits chevaux, gauches, de poitrail étroit, hauts de quatorze palmes à peine, n'étaient guère des chevaux de course. Ils se déplaçaient sans grâce, dans « une sorte d'amble, entre le trot et le petit galop ». Pourtant, les cochers canadiens-français les faisaient souvent courser sur les chemins. Ces courses improvisées, avec leurs défis et leurs paris, leurs cris et claquements de fouets, furent croquées par Henri Julien dans ses multiples séries d'esquisses animées.

Les officiers britanniques en garnison à Montréal adoptèrent la promenade en traîneau, considérant que c'était le seul moyen de participer aux plaisirs de la société durant l'hiver canadien. Leurs équipages étaient des plus pimpants. Les traîneaux bas n'étaient pas au goût du jour; on les achetait sur les plus hauts patins possible et dans les teintes les plus vives. Rares étaient les officiers britanniques experts dans la conduite d'un traîneau. Ils devaient apprendre à distinguer la conduite sur patins de celle sur roues. Dans les virages abrupts, ils oubliaient parfois, au début, de tenir compte du dérapage du traîneau — et un traîneau dérapant virait aisément tête à queue. Plus d'une jeune Montréalaise, accompagnant un officier de garnison inexpérimenté, s'est retrouvée dans un banc de neige. De pareils accidents ne les décourageaient pas. Les officiers de garnison ne manquaient jamais de compagnie. Les jeunes filles qui sortaient en promenade avec eux étaient appelées: *muffins,* (d'après le terme anglais qui signifie: petit pain rond). Pour les amateurs de définitions, le correspondant du *Times*, à Montréal au cours de l'hiver 1861-62, écrivait: « Une *muffin* est simplement une jeune fille qui s'assied aux côtés de l'occupant mâle d'un traîneau. » Cette définition, qui semble sortir tout droit d'un dictionnaire, ne rend guère l'aimable bonhomie de cette coutume. Lors d'une longue et engourdissante excursion en traîneau, une jeune fille blottie contre un officier réconfortait et réjouissait tout autant qu'un muffin chaud servi avec le thé. Quoique l'usage du terme *muffin* ait prévalu, on appelait encore ces jeunes filles *crumpets*, c'est-à-dire petites crêpes, et même *scones*, soit petites galettes.

Le rôle d'une *muffin* au cours d'une excursion de garnison fut décrit par un jeune officier, autour de 1830: « Les pique-niques d'hiver étaient alors fort à la mode. Nous avions coutume de partir en traîneau, emmenant chacun une demoiselle — ordinairement appelée une *muffin* — ainsi que notre part du souper. Des musiciens étaient aussi de la partie, et l'on remplissait plusieurs grandes pièces des maisons d'habitants disponibles pour ces soirées. Après le repas, nous dansions plusieurs heures, après quoi nous rentrions ensemble sur les chemins enneigés, en une longue enfilade de traîneaux, sous un clair de lune souvent presqu'aussi lumineux que le jour. Ces randonnées étaient des plus charmantes; et d'écouter tinter les clochettes dans le silence de la nuit, au trot allègre des chevaux, nous enchantait, sans parler de la demoiselle chaudement emmitouflée auprès de nous ! »

Ce n'était qu'avec le temps, comme la saison avançait, qu'une jeune fille partait régulièrement en balade avec un certain officier — et ce n'était qu'alors que le titre de *muffin* lui était attribué. L'accession à l'état de *muffinage* exigeait une bonne dose de patience, de tact et de finesse. On jouait des tours aux nouveaux officiers, encore mal informés sur l'étiquette des parties de traîneaux.

« Dites-moi, qu'est-ce qu'il faut savoir au sujet des *muffins* ? » demandait en 1860 un jeune officier frais émoulu, après le souper, au mess du régiment.

« Comment, lui répondit-on, n'as-tu pas encore une *muffin* en vue ? »

« Eh non, comment y arriver, je ne connais âme qui vive ici ! »

« Ah, lui dirent-ils, c'est malheureux ; mais tu as de la chance malgré tout. Il n'en reste qu'une mais c'est la plus gentille. Il faut l'inviter tout de suite. »

« Mais qui fera les présentations ? »

« Bah, à quoi cela te servirait-il ? Tu n'as qu'à te rendre directement chez elle demain, après le dîner, sonner, et demander à voir Mademoiselle ———; puis, présente-toi et dis que tu es venu lui demander d'être ta *muffin* pour la saison. »

Le nouveau venu ne perdit pas de temps. Il passa chez elle dès le lendemain. Comme il pénétrait dans une grande pièce, il vit une jeune femme particulièrement jolie, posée et d'allure distinguée qui attendait pour le recevoir.

« Je suis arrivé voilà quelques jours, Mademoiselle ———, expliqua-t-il, et sans tarder je suis venu ici vous demander de m'honorer de votre compagnie pour le reste de la saison car, par bonheur pour moi, je sais que vous ne vous êtes pas encore engagée à titre de *muffin*. »

Mademoiselle ——— resta bouche bée. Elle agita une sonnette pour appeler le domestique. Elle lui tira sa révérence et on le reconduisit à la porte. La visite n'avait pas duré une minute et la demoiselle n'avait pas soufflé mot. En un éclair, il comprit qu'une jeune fille ne devenait pas, de but en blanc, la compagne de route assidue d'un officier, tel qu'on le lui avait laissé entendre. Jusqu'à la fin de l'hiver, chaque fois qu'il parut, on put entendre le drelin d'une clochette et le cri étouffé de « *Muffin* ! »

Il ne s'en remit jamais tout à fait tant que dura son séjour au Canada.

Nombre d'officiers de garnison étaient de jeunes hommes de fortune personnelle ou d'un avenir très prometteur. Certains avaient déjà des titres ou devaient éventuellement en hériter. Ils étaient tenus comme des partis exceptionnellement désirables par la gent féminine de Montréal. Aussi, lorsqu'il parvenait à l'étape de *muffinage,* un jeune officier était-il menacé. Plus d'un jeune officier s'est retrouvé marié à sa *muffin.* Le maréchal Sir Garnet Wolseley, commandant-en-chef de l'armée britannique, constata, alors qu'il était jeune officier à Montréal vers 1860, qu'un des problèmes lié au *muffinage* était de demeurer célibataire. Dans ses mémoires, rédigés à un âge avancé, il évoqua les promenades en traîneau:

« Vivre à Montréal était fort agréable. Bien sûr, j'ai acheté des chevaux et un traîneau dans lequel je promenais de ravissantes dames tous les jours... et nombreuses furent les expéditions dans la campagne environnante. En somme, les jeunes officiers goûtaient une félicité élysienne, n'ayant pour seul souci que de rester libres. De nombreux jeunes capitaines et subalternes impressionnables durent être rappelés chez eux en toute hâte afin de les soustraire à des mariages imprudents. »

La tendance du *muffinage* à se solder par le mariage était indiscutable, ainsi que l'avait observé le jeune Wolseley. Ces mariages, quoique fréquents, se révélaient toutefois rarement heureux. « Personne n'éprouve autant le mal du pays que les demoiselles des libres et insouciants Canadas, observait un officier médical, peu d'entre elles supportent la transplantation, ainsi que peuvent l'attester des centaines d'officiers anglais. » Les officiers commandants qui renvoyaient « précipitamment chez eux » jeunes capitaines et subalternes agissaient peut-être dans le meilleur intérêt des parties concernées. Ils conservaient intacts les souvenirs des joyeuses expéditions de traîneaux.

Quelques images se gravent à jamais. Au dire d'un témoin, « Les jours de rencontre (d'ordinaire les mercredis et les samedis), c'était beau de voir le vieux commandant aux cheveux gris ... prendre la tête d'une longue suite de traîneaux, chacun d'eux occupé par de galants militaires et d'éblouissantes demoiselles canadiennes. L'attelage du général se lançait à fond de train, suivi de toute la compagnie... »

Pendant son séjour à Montréal en 1861-62, le correspondant du *Times* fixa, pour son journal, ses impressions sur le départ du club de tandems de la garnison: « En chemin, nous avons été réjouis par le spectacle du *Driving Club* partant en excursion, Sir Fenwick Williams en tête. Cependant, l'on ne pouvait entrevoir que de sombres silhouettes dans un tourbillon de neige, glissant à la musique des grelots, l'une à la suite de l'autre puis se confondant au milieu des vaporeux et scintillants nuages soulevés par le martèlement des chevaux dans la neige. »

Le Mont-Royal: l'entrée de la rue Peel

— XVI —

Contre vents et tempêtes:

Les raquetteurs

C'était la nuit du mercredi 10 mars 1869. Douze membres du *Montreal Snow Shoe Club* (Les Tuques bleues) s'adonnaient à leur exercice du milieu de la semaine sur le Mont-Royal. Cette nuit fut la plus rude de l'année. La neige alternait avec le grésil. Les congères atteignaient la hauteur d'un cottage. Celui qui s'aventurait dehors était poursuivi et harcelé par la tempête.

La raquette était un sport de muscle et de nerf, et ses mordus s'enorgueillissaient de leur hardiesse. Ils se hasardaient dehors par les pires blizzards, au froid le plus cinglant. Les randonnées en raquettes étaient des épreuves d'endurance; fort différentes des promenades oisives, elles exigeaient un pas martelé à un rythme preste, établi par le meneur.

Si un raquetteur en randonnée sur le Mont-Royal sentait qu'il ne pouvait plus soutenir le pas, il se détachait du groupe et continuait «par le chemin», en parlant de la Côte-des-Neiges. Par cette nuit déchaînée du 10 mars, deux membres avaient quitté la file indienne pour suivre «le chemin». Or cette nuit-là, même le chemin s'estompait sous les rafales de neige. Ils se jetaient en avant, à corps perdu. C'était assurément une nuit d'épouvante.

Les deux raquetteurs aperçurent un traîneau par-devant eux sur la côte. Il était immobile. Ils s'en approchèrent. Le cheval était mort, le traîneau abandonné. Celui qui avait voyagé à son bord s'était coincé dans des bancs de neige et avait été mis en déroute par des torrents de grésil. Ce qui lui était advenu, les excursionnistes l'ignoraient. Il n'en subsistait aucune trace. Le conducteur du traîneau avait disparu dans l'obscurité.

Les deux raquetteurs poursuivirent l'ascension de la Côte-des-Neiges. Ils aperçurent bientôt un autre traîneau. Il ne bougeait pas non plus. Lorsqu'ils avancèrent jusqu'à celui-ci, ils découvrirent John Lowe, directeur administratif de la *Gazette*, et sa fille, recroquevillés à l'intérieur. Longtemps, ils étaient restés figés dans le traîneau enlisé, craignant de le quitter pour s'enfoncer dans la neige du chemin de campagne. Ils s'étaient protégés de leur mieux contre la neige grésillante sous une peau de buffle, espérant que quelqu'un viendrait à leur secours. Mais du secours, par une nuit pareille, rien n'était moins sûr. Au moment où les raquetteurs les atteignaient, Lowe et sa fille étaient épuisés de froid et de terreur. Les « Tuques bleues » du Club de Montréal les aidèrent à regagner leur domicile. Ils l'avaient échappé belle. Ainsi que le faisait remarquer un commentateur, « n'eût été de leur assistance opportune, cela aurait fait un article sensationnel pour les journaux et une cause pour le coroner. »

Les raquetteurs eux-mêmes s'égaraient aussi parfois sur le Mont-Royal, au cours des tempêtes. La nuit du 30 décembre 1857, quelques membres du *Montreal Snow Shoe Club* — dix-sept en tout — firent fausse route dans la tourmente d'un blizzard. La neige conspirait avec les ténèbres pour les fourvoyer tous. Au lieu de franchir la montagne par l'itinéraire habituel, ils battirent la campagne pendant au moins une heure, en pleine noirceur. À leur surprise, ils débouchèrent dans Westmount (autrefois intégrée au village de Notre-Dame-de-Grâces). Ils décidèrent alors de regagner la Côte-des-Neiges qu'ils pourraient suivre jusqu'au versant nord de la montagne. Peu de temps après, à mi-chemin vers la ville, ils s'égarèrent de nouveau. Pendant la moitié de la nuit, ils sillonnèrent le Mont-Royal, dépassant les points de repère familiers, incapables qu'ils étaient de voir à plus de quelques pieds devant eux. On ne les revit pas en ville « avant le chant du coq ».

Cet incident inquiéta le club. Il était suffisamment éprouvant de perdre son chemin pour qu'il faille désormais se tenir ensemble afin de pouvoir se prêter assistance. Pour les excursionnistes se déplaçant en longue file indienne, le plus grave danger était d'être aveuglés par la neige poudreuse et de perdre contact.

On prit des précautions. Un clairon les suivrait sur les pistes. Ses sonneries « rassembleraient les troupes dispersées pour la sécurité et la gouverne communes. »

De semblables aventures sur le Mont-Royal injectaient aux raquetteurs victoriens un goût du risque et du défi qui rehaussait le prestige du sport. Les membres du club laissaient volontiers entendre que la raquette n'était pas pour les mauviettes ou les plaisantins. C'était le sport de ceux qui peuvent faire front et tenir le coup. Aucune bourrasque ne ferait renoncer de vrais raquetteurs, ne serait-ce qu'un ajournement prudent. L'une des chansons du Club de Montréal, sur l'air de « Dixie Land », faisait vibrer ces mots:

« *En route sur le sentier de la raquette,*
Contre vents et tempêtes.
En avant! En avant!
Parcourons les chemins enneigés. »

Les circuits de longue durée mettaient la résistance à sa plus rude épreuve. Au cours de la saison, les clubs effectuaient des parcours vers Lachine, Saint-Jean, Chambly, Saint-Vincent-de-Paul. En 1876, le *Montreal Snow Shoe Club* organisa un itinéraire jusqu'à Cornwall. Pour accélérer encore davantage l'allure, les clubs rivaux franchirent ces distances en course à obstacles. Le 7 février 1880, les clubs de Montréal et de Saint-George tinrent une course entre Fletcher's Field, immédiatement à l'est du Mont-Royal, et l'hôtel Péloquin du Sault-au-Récollet, une distance d'environ cinq milles et demi. Ce sont des membres du *Montreal Snow Shoe Club* qui arrivèrent premier et deuxième: George Starke parcourut les cinq milles et demi en 43.26.5 minutes et A.W. McTaggart les couvrit en 44.26.5 minutes. Mais la victoire fut tout de même arrachée de justesse. T.O. Davidson du *Saint-George's Club*, chronométré à 44.41.5 minutes, se classe troisième.

Au cours de ces foulées longue-distance, certains raquetteurs s'écroulaient d'épuisement, ou étaient incommodés par de terribles crampes, dites « mal de raquette », qui les saisissaient aux muscles postérieurs de la jambe. C'est alors que le « piqueur » entrait en fonction. Celui-ci suivait l'équipe et cherchait à aiguillonner quiconque prenait du retard ou à aider quelqu'un qui n'en pouvait plus. Lorsque le *Montreal Snow Shoe Club* excursionna jusqu'à l'hôtel Ottawa de Saint-Vincent-de-Paul, lors de la saison 1876-77, un de ses membres s'effondra sur la glace. Les vieux dossiers du club ont relevé l'incident: « L'intervention d'un « piqueur » parut nécessaire lorsqu'on aperçut une silhouette étendue sur la glace de la Back River, qui s'est avéré un de nos propres hommes (Aiken), lequel avait vainement tenté de soutenir « le tempo » des meneurs. Après quelques soins, il se ranima suffisamment pour se rendre en raquettes jusqu'à l'hôtel, où un bon repas eut tôt fait de le remettre sur pied. »

C'est sur le Mont-Royal que les clubs s'entraînaient. C'était un bon terrain d'entraînement, parsemé de pentes raides et d'accidents. Chaque club adoptait un hôtel sur le flanc opposé de la montagne pour ses rendez-vous. L'hôtel Lumkins (situé non loin de l'emplacement actuel de l'Oratoire Saint-Joseph) était le plus célèbre. Mais d'autres auberges par-delà le mont, dont le Prendergast's, avaient chacune leur coterie.

Chaque club avait son soir de randonnée. La plupart d'entre eux se rassemblaient aux grilles de l'université McGill, ces portes de bois qui précédèrent les grilles Roddick actuelles. Les membres ajustaient leurs raquettes et s'attardaient à bavarder. Même si les tempêtes ne les rebutaient pas, les meilleures soirées étaient éclairées d'un beau clair de lune. Le carillon de la cathédrale Christ-Church signalait le départ. « Up ! Up ! », criait le meneur. Les membres se plaçaient à la file. Le meneur donnait le pas. La file serpentait à sa suite. Les raquetteurs traversaient le campus, dépassant les édifices universitaires illuminés. L'itinéraire consistait à suivre la montée McTavish, traverser l'avenue des Pins, puis gravir le sentier de la montagne, tout juste à l'ouest du mur de pierre de la résidence de Sir Hugh Allan, *Ravenscrag*.

Les raquettes cliquetaient à un rythme régulier. Le meneur ne tolérait pas les traînards. Chacun devait suivre de près celui qui le précédait. Des bouffées vaporeuses s'échappaient des narines dans l'air glacé. Barbes et moustaches victoriennes se givraient de blanc. Les très jeunes comme les très vieux haletaient et grognaient. Mais l'effort générait une sorte d'exaltation. En voici un témoignage des années 1850: « Un sang sauvage court follement dans nos veines, et nous éprouvons l'ivresse de l'air froid et pur que nous respirons plus avidement, à mesure que s'accélère la cadence. Nous allons de l'avant; notre entrain est vivifié, retrempé et ne cesse de s'affermir alors que la forêt noire semble nous convier. Excelsior ! c'est notre devise; par-delà les crêtes enneigées, à travers les ravins, autour des rochers perpendiculaires, toujours de l'avant. Excelsior ! »

Un bosquet d'arbres au flanc de la montagne, surnommé

« les Pins », mettait du drame dans les excursions à la raquette. Il avait un aspect sombre, druidique. Les raquetteurs fermant la file indienne voyaient leurs prédécesseurs disparaître un à un dans les ténèbres du bosquet, puis, émerger à nouveau sous le clair de lune, en amont. Au sommet du Mont-Royal, un cri du meneur annonçait une halte. Il faisait alors l'appel, car il devait s'assurer que personne n'était sorti des rangs ou n'avait besoin de secours. Pendant cette pause, les raquetteurs contemplaient Montréal sous la neige. « Tout en bas, les clochers aériens et les toits chargés de neige étincèlent sous les rayons de la lune et plus loin encore, les innombrables lumières de la grande ville produisent un effet magique d'une beauté envoûtante. »

Après l'appel, le meneur criait: « Debout ! » Tous entreprenaient maintenant la descente de l'autre versant du mont. C'est en sautant que l'on franchissait les clôtures, les pierres et les arbustes. Ils traversaient le cimetière de la Côte-des-Neiges parmi les pierres tombales et les caveaux quasi ensevelis sous la neige et scintillants au clair de lune. Quelques années plus tard, des membres du *Montreal Snow Shoe Club* se réuniraient autour de la tombe de Nicholas Hughes, figure presque légendaire dans l'histoire du club. On l'avait surnommé « Evergreen » Hughes car, à l'instar d'un arbre « toujours vert », les années n'avaient jamais su le rattraper. Il avait initié et inspiré plus d'un raquetteur néophyte qui persévéra après son départ. Les « Tuques bleues », dont les silhouettes se profilaient sur la neige, s'arrêtèrent donc autour de sa tombe, le temps de chanter *Auld Lang Syne.*

Quand les raquetteurs apercevaient enfin leur hôtel — Lumkin's, Prendergast's, Moore's et d'autres — le meneur lançait un cri. Ce signal invitait à rompre la file et à se précipiter, pêle-mêle, pour voir qui arriverait le premier. À l'auberge, les raquetteurs secouaient la neige collante, pendaient manteaux et mocassins, allumaient leurs pipes et s'installaient pour deux bonnes heures de détente. Un souper frugal était servi: des galettes, du fromage et de la bière (jamais d'alcool distillé, semble-t-il). Quelques numéros variés suivaient. On chantait en choeur ou en solo. Quelqu'un jouait du piano. Un autre se levait pour exercer ses talents de conteur. Des blagues faisaient le tour des tables. C'était deux heures de rigolade et de franche camaraderie.

À dix heures, le meneur annonçait qu'il était temps de repartir. Les raquetteurs se levaient pour entonner le *God Save the*

Queen. Puis, ils se mettaient en route, escaladant le flanc nord du mont, dévalant le flanc sud, et de nouveau dans les rues de la ville. Et le témoin de 1850 de conclure: « Maintenant, au lit! Fier de l'institution glorieuse de la raquette, bâille lourdement et dors comme une bûche jusqu'au matin, sans craindre les cauchemars. »

Le Mont-Royal des raquetteurs fut recréé sur scène. En effet, les clubs donnaient des soirées au Queen's Hall ou à l'Academy of Music. Il s'agissait d'une suite de tableaux. Par exemple, des raquetteurs gravissaient une pente abrupte du Mont-Royal sous une abondante chute de neige en confettis. Et pour rappeler que la lune enchanteresse était souvent remplacée par une poudrerie aveuglante, W.L. Maltby chantait sur un ton de défi: « Rage, ô tempête furieuse! »

Le monument
des pompiers

— XVII —

Tragédies de ruelle:

Les pompiers

Il était cinq heures du matin, ce dimanche 29 avril 1877, quand sonna le tocsin. Un incendie venait d'éclater dans l'édifice qui abritait «Oil Cabinet and Novelty Works», au coin de la rue Saint-Urbain et de la ruelle Scott. Ce devait être l'incendie le plus désastreux de toute la période victorienne de Montréal quant aux pertes de vie chez les pompiers.

L'édifice, vétuste et affaissé, stockait des vernis et des matériaux dangereusement inflammables. Les flammes jaillirent. La chaleur intense du brasier soulevait en cloques la peinture des châssis de portes et de fenêtres situés de l'autre côté de la rue. Tout ce qui était de verre volait en éclats.

Les pompiers tentèrent de pénétrer dans l'édifice mais la chaleur et la fumée les en chassaient à chaque fois. Un type d'échelle de pompiers spécial — l'échelle Skinner — fut hissée dans la rue. Trois hommes la gravirent, tirant un tuyau d'arrosage avec eux. Ils demandèrent de l'eau, et aussitôt, un puissant jet se déversa dans une fenêtre de l'étage supérieur. Les flammes s'affaiblirent mais le feu n'en fut que refoulé vers le bas. Soudain, il surgit d'une fenêtre d'un étage inférieur. Il semblait s'agripper à l'échelle. Les trois hommes, isolés au sommet, ne pouvaient redescendre sans plonger dans une nuée ardente.

Un impétueux vent d'avril soufflait au petit jour, rue Saint-

Urbain. Les pompiers, au sommet de leur échelle, attendaient une rafale qui balayerait les flammes tout juste assez longtemps pour leur permettre de descendre. Un à un, ils tentèrent leur chance, sans savoir si le vent retiendrait les flammes ou les précipiterait sur eux, à leur passage. Tous trois parvinrent à grand-peine au bas de l'échelle, vivants mais affreusement brûlés.

Entre temps, d'autres pompiers arrosaient l'édifice depuis une ruelle, au nord. Ils se trouvaient dans une situation précaire car les murs étaient chancelants. Peu de temps auparavant, les inspecteurs des bâtiments les avaient condamnés. Maintenant, en outre, ils étaient affaiblis par le feu et déformés sous le poids de la machinerie. Une partie du mur au nord creva par le milieu. Une avalanche de briques se répandit dans la ruelle. Rue Saint-Urbain, personne n'en eut connaissance avant qu'un pompier ne surgisse en criant: « À l'aide! Le mur s'est écroulé et quelques-uns de nos hommes sont au-dessous! » Les pompiers coururent à la ruelle. Ils trouvèrent effectivement plusieurs hommes ensevelis sous les décombres. Ce qui restait du mur menaçait de s'écrouler.

La scène qui se déroula dans la ruelle, durant ces quelques minutes, fut décrite par le capitaine William Orme McRobie de la Brigade de sauvetage, dans un style victorien: « Essayons de nous représenter la situation de ces hommes. La première fournée, ensevelie jusqu'au menton, dont quelques-uns tout à fait enfouis, leurs visages tournés vers le haut, surveillant l'oscillation du mur de briques au-dessus d'eux, implorant les sauveteurs de ne pas les abandonner. Ces nobles compagnons les encourageaient, et leur assuraient qu'à défaut de les sauver, ils mourraient avec eux. Quel héroïsme, cher lecteur! Pouvez-vous trouver la pareille? Quelles durent être leurs impressions, peinant comme ils n'avaient jamais peiné auparavant, les mains meurtries et en sang, le dos voûté, un oeil sur le mur vacillant au-dessus d'eux, prêt à crouler d'un moment à l'autre. Une poutre déplacée ou une rafale de vent et puis... l'inévitable arriva! Ils le virent venir. Se dérobèrent-ils à la tâche qu'ils s'étaient imposés? Tinrent-ils parole envers leurs camarades? Firent-ils un bond de côté, comme c'eût été leur droit de le faire, pour sauver leur vie? Non!... Quand ils virent le mur s'affaisser, ils ne firent que jeter leurs corps sur ceux de leurs compagnons, leur sauvant ainsi la vie. N'est-ce pas là de l'héroïsme? Si ce n'est le cas, je ne comprends vraiment pas le sens de ce mot. »

Au deuxième éboulement, des sauveteurs affluèrent dans la

ruelle. Ils écartèrent les briques brûlantes, insensibles aux brûlures qu'ils infligeaient à leurs mains. Plusieurs pompiers furent dégagés encore vivants. Six autres y avaient laissé leur vie ou moururent de leurs blessures peu de temps après.

Ces pertes de vie comptèrent parmi les premières du Service des incendies, depuis son implantation à temps plein, en 1863. Les cortèges funèbres, protestant et catholique, s'étendaient sur une si longue distance, que des citoyens essayaient encore de prendre la file, quand la tête de chaque convoi atteignit le cimetière.

L'un des incendies les plus violents de la période victorienne fut celui de l'hôtel St. James donnant sur le carré Victoria, le 18 mars 1873. L'hôtel, quoique haut de cinq étages, était dépourvu de sorties de secours. Lorsque les pompiers arrivèrent au carré au grand galop, ils virent les fenêtres « remplies de gens, les uns appelant au secours, les autres lançant leurs bagages au dehors, pendant que certains restaient suspendus dans l'espace à leurs draps noués. »

Johanna O'Connor fut le point de mire de la soirée. Elle travaillait à la cuisine de l'hôtel. Le soir du feu, le gardien et le comptable étaient descendus à la cuisine pour chercher d'où venait la fumée. Ils inspectèrent le fourneau. Tout semblait à l'ordre. Ils s'en allèrent. Depuis quelques jours, tout l'hôtel était enfumé car deux hommes réparaient les tuyaux de poêle.

Johanna O'Connor se mit au lit. Elle fut réveillée en sursaut par les cris du gardien: « Les filles, levez-vous, le feu est à la maison ! » Dans le couloir, elle ne vit pas de lumière et la fumée faillit la suffoquer. Elle revint dans sa chambre, s'habilla en hâte et retourna dans le corridor. Elle entendit un homme hurler: « Où sont les escaliers? » Elle agrippa un pan de son habit et le suivit. Arrivé à une porte, il l'ouvrit. Ils pénétrèrent dans une pièce où le gaz brûlait encore. Aidé d'un autre homme, il fracassa les vitres de la fenêtre d'où ils sautèrent l'un après l'autre. Plusieurs clients de l'hôtel firent de même, ce soir-là. Ils atterrissaient sur le pavé avec le même bruit sourd que leurs malles.

La chambre était en flammes. Johanna O'Connor s'échappa par la fenêtre. Elle s'accrocha au châssis de la main droite, et appela à l'aide. Voyant un attroupement d'hommes en bas, dans le square, elle hurla: « Messieurs! Messieurs! Aidez-moi! Aidez-moi! » Ils ne pouvaient rien pour elle sinon l'encourager: « Ne lâchez pas! Tenez bon! L'échelle s'en vient! »

Les pompiers eurent tôt fait de dresser l'échelle. Mais Johanna se trouvait au cinquième étage de l'hôtel St. James et l'échelle était trop courte pour l'atteindre. Les minutes passaient. Elle restait toujours cramponnée au rebord de la fenêtre. Le pompier John Nolan fit hisser une deuxième échelle jusqu'au pompier John Beckingham qui la superposa à la première. Même les deux échelles aboutées n'atteignaient pas la bordure de la fenêtre d'où pendait Johanna.

La foule se pressait maintenant au carré Victoria. Elle observait la scène, silencieuse mais agitée. Près de vingt minutes s'étaient écoulées depuis que Johanna était sortie par la fenêtre. Ses bras ne voulaient plus la soutenir. C'est alors que Beckingham gravit le dernier barreau de l'échelle principale. S'adossant contre le mur, dans un ultime effort, il éleva la seconde échelle à bout de bras jusqu'à ce qu'elle touchât les pieds de la jeune fille.

Elle hésita un moment. On aurait dit qu'elle craignait de s'arracher du rebord de la fenêtre et d'abandonner son poids à l'échelle instable qu'on lui tendait. Les pompiers l'exhortaient au courage et l'incitaient à descendre très lentement en faisant attention de ne pas perdre pied. Elle posa un pied sur l'échelon puis lâcha prise. Elle descendit avec précaution, faisant une pause à chaque barreau. Nolan se tenait au sommet de l'échelle principale, juste au-dessous de Beckingham. Elle s'effondra dans les bras de Nolan qui la transporta jusqu'à la rue. La pauvre était à bout de forces, gelée, et coupée par la vitre. « La glace était terrible, dit-elle, mes vêtements entravaient mes mouvements et j'étais sur le point de m'évanouir. »

Avant la mise sur pied d'un Service des incendies à Montréal, en 1863, ce sont des volontaires qui se chargeaient de combattre les incendies de la ville. Au début du dix-neuvième siècle, on dénombrait plusieurs associations de volontaires aux noms évocateurs: l'Union, le Neptune et le Protector. Le capitaine de ces compagnies occupait un poste respecté dans la communauté. Tous ses aides étaient salués comme des braves, prêts à risquer leur vie au service du public.

Les méthodes demeurèrent lentes et primitives pendant de longues années. L'alarme était donnée par « le watch », à titre de veilleur de nuit. C'était son métier de crier l'heure au coin des rues, assortissant son cri aux conditions du temps: nuit d'orage, nuit de pluie, clair de lune, nuit étoilée. Et il concluait invariablement par le « Tout va bien ! » Mais témoin d'un incendie, il clamait « Au feu ! Au feu ! Au feu ! », à pleins poumons. Il courait frapper à la porte du capitaine de pompiers le plus proche. Quand celui-ci descendait enfin dans la rue, par une nuit sans lune le « watch » l'éclairait jusqu'au hangar où l'on gardait la pompe à incendie, car chaque guetteur portait un fanal à l'extrémité d'un bâton — fanal éclairé par une chandelle de suif.

Après avoir escorté le capitaine à la station des pompes, il courait à la place d'Armes éveiller le bedeau de l'église Notre-Dame. Ce dernier habitait sur le côté nord du square où s'élève aujourd'hui la Banque de Montréal alors que l'ancienne église Notre-Dame était sise de l'autre côté de la rue Notre-Dame, face à l'église Notre-Dame d'aujourd'hui. Le bedeau ensommeillé traversait la place, grimpait au beffroi, faisait jaillir des étincelles d'un briquet à silex pour allumer une lanterne qu'il suspendait à l'extérieur du clocher, au bout d'une perche. Ceci constituait un premier signal d'incendie. Ensuite, il frappait une des cloches à coups de maillet, tant et aussi longtemps que durait le sinistre. De son côté, le « watch » ameutait la populace en faisant crépiter les crécelles qu'il transportait toujours avec lui. Un veilleur aurait même sillonné les rues en faisant retentir un gong de deux pieds de diamètre.

Ces moyens variés avertissaient et mobilisaient les pompiers volontaires des diverses compagnies. À leur arrivée à la station, il n'était pas rare de trouver les pompes hors d'usage. Jusqu'en 1840, aucune station n'était chauffée. En hiver, lorsque les pompes avaient été récemment utilisées, tuyaux et soupapes pouvaient être gelés. Il fallait quérir de l'eau chaude à la maison voisine pour les dégeler. Une demi-heure s'écoulait parfois avant que l'engin ne fut en état de servir. Ces lourds engins de plus d'une tonne devaient être traînés à l'aide de câbles. La vitesse de déplacement n'était jamais bien grande. Qu'à cela ne tienne ! Il y avait de la fougue, de l'élan et de l'entrain chez les trente à quarante jeunes gens attelés à leur pompe à incendie. Quelquefois, l'on utilisait un cheval. Une compagnie de pompiers eut la permission de réquisitionner n'importe quel cheval dans la rue, sauf s'il appartenait à un médecin.

Les premières pompes à incendie ne transportaient aucune réserve d'eau, à l'exception de l'approvisionnement des seaux et des tonneaux. Aux incendies les plus destructeurs, une chaîne de citoyens se formait jusqu'au fleuve. Les seaux se transmettaient vides jusqu'au bout de la file et revenaient pleins. Au cours d'un grand incendie près du marché Saint-Anne (sur le site actuel de la place d'Youville), cinq cents hommes s'organisèrent en une brigade de seaux pour s'approvisionner au fleuve. Dans plusieurs cas, l'eau était acheminée aux pompes en tonneaux que l'on transportait dans de petites charrettes tirées par des chevaux ou des chiens. Cinquante cents était la prime accordée au premier tonneau; les autres étaient payés 20 cents chacun. Les pompiers ne pouvaient compter sur un approvisionnement d'eau continu. Selon un membre d'une association volontaire: « Quand la pompe épuisait sa réserve d'eau, nous devions attendre patiemment que les charrettes nous en apportent encore. »

Les volontaires étaient reconnus pour leur courage. Le plus audacieux de tous, Alfred Perry, soutint son zèle jusqu'à la mort. George Horne le vit à l'oeuvre: « Je l'ai vu grimper aux gouttières d'un bâtiment de trois étages, puis ramper de fenêtre en fenêtre, comme un chat, pour sauver femmes et enfants au risque de sa propre vie. Les échelles extensibles n'existaient pas en ce temps-là. J'ai vu des centaines de spectateurs fascinés suivre ses acrobaties, redoutant de le voir plonger dans la mort, à tout moment. »

À l'occasion, les volontaires de Montréal étaient requis pour combattre les incendies des villes avoisinantes. Un après-midi d'août, en 1846, une lueur fauve se propagea dans le ciel de Laprairie. Le capitaine du Protector à Montréal décida de partir à la rescousse avec ses hommes et son équipement. Aucun pont ne reliait alors Montréal à la rive sud. Ils traversèrent donc le fleuve sur le bateau passeur vers Longueuil, et de là, ils hâlèrent la pompe tout le long du chemin de Laprairie. C'était un long remorquage. À la fin, épuisés, ils réquisitionnèrent un cheval dans un champ. Il était temps: le brasier avait rasé des rangées de maisons et l'église écossaise avait été anéantie. Les pompiers de Montréal parvinrent néanmoins à réchapper l'église catholique et les habitations qui l'entouraient.

Au début des années 1860, la Ville de Montréal instigua la fondation d'un service de pompiers permanent. Les volontaires furent groupés en une sorte de détachement de réserve appelée la Compagnie des incendies de la ville. Ils devaient seconder les pompiers permanents chaque fois que cela s'avérait nécessaire. Le nouveau corps des pompiers fut baptisé: Police des incendies de la ville. On les dota de pouvoirs policiers et ils furent assermentés à titre de constables spéciaux, « avec mission d'aider à maintenir l'ordre dans la ville en tout temps, et particulièrement au cours d'incendies. »

On installa des avertisseurs d'incendie. Ils étaient tous sous clef, pour prévenir les fausses alertes. Les policiers portaient les clefs sur eux. Sur chaque boîte, une inscription donnait l'adresse d'un citoyen responsable, domicilié aux environs, chez qui l'on pouvait obtenir une clef.

L'alarme était déclenchée au moyen d'un dispositif relié à quatre cloches d'église. Le signal était transmis de la boîte à la cloche par « télégraphe électro-magnétique ». Le nombre de coups de cloche indiquait le lieu de l'incendie. Des églises furent choisies aux quatre coins de la ville : la cathédrale Christ Church au nord, Notre-Dame au sud, Saint-Jacques à l'est et St. George à l'ouest. Dans une des paroisses (Notre-Dame de la Place d'Armes), les marguilliers avaient enjoint la Ville de Montréal d'assumer la responsabilité d'une éventuelle fêlure de cloche au cours d'une alerte.

Maigre salaire et longues heures, tel était le lot du nouveau pompier de Montréal. Ses loisirs se bornaient à quatre heures par semaine et à une partie du dimanche. Encore que ces brefs congés fussent conditionnels : un pompier se devait d'être à la portée d'une alarme et se présenter à l'appel dès la première alerte. Un homme soutenait que les heures de service étaient longues au point qu'il « n'aurait pas été surpris que certains enfants de pompier reconnaissent difficilement leur père, le voyant si rarement. »

Au départ, les pompiers étaient tenus d'arroser les rues quand ils ne combattaient pas de sinistres. La « Corporation » entendait ainsi réaliser des économies et occuper ses hommes. On s'opposa à ce compromis. Dès 1865, William Patton, responsable de l'arrosage des rues, intercéda auprès du comité d'incendies à l'Hôtel de ville. Les chevaux s'éreintaient à hâler les lourdes voiturées d'eau et ne pouvaient plus accourir au feu « à fond de train ». Ce double emploi entraînait aussi des délais. Au signal d'une cloche d'église, les pompiers devaient revenir en hâte au poste, dételer les chevaux de la charrette à eau pour les harnacher à la pompe.

Quand les pompiers furent enfin exemptés de l'arrosage des rues, le temps se mit à peser au poste. Les hommes désoeuvrés passaient leurs journées à flâner. Les stations étaient mornes : planchers nus, meubles clairsemés, souvent abîmés. À un certain poste, il n'y avait même pas assez de chaises pour tous les hommes. Dès qu'un siège se libérait, un autre l'occupait. Il s'en trouvait toujours un, debout, qui guettait sa chance.

Dortoirs et écuries se côtoyaient au rez-de-chaussée. Un pompier disait que cela lui rappelait le mot d'un Irlandais sur la pendaison: « Cela pouvait aller, une fois qu'on s'y habituait. » Les autorités considéraient cette installation parfaitement normale. Le chef des pompiers, dans son rapport de 1873, décrivait la nouvelle station, rue Saint-Gabriel. Au rez-de-chaussée, disait-il, sept hommes « y dorment avec cinq chevaux ».

Un visiteur occasionnel trompait l'ennui. La ville était encore peu étendue et chaque quartier avait son caractère. La plupart des gens vivaient, travaillaient et mouraient dans le patelin qui les avait vus naître. Toutes les familles se connaissaient, jusqu'aux grands-parents. Dans un tel contexte social, les stations de pompiers devinrent des centres communautaires. Les hommes du quartier s'y arrêtaient le matin, sur le chemin du travail, pour lire le journal ou bavarder. Le soir, avant de rentrer, ils y faisaient souvent un autre petit tour. Le chef des pompiers, Alexander Bertram, un ancien forgeron, comprenait le bien-fondé de ces rencontres. S'il avait été rigoriste, il aurait pu interdire l'entrée du poste à tous ceux qui n'étaient pas pompiers, sinon pour signaler un incendie. Mais ce bon gaillard d'Écossais croyait (à raison, comme on en eut la preuve) qu'une certaine libéralité en discipline assurait un meilleur rendement en cas de véritable besoin. Il se faisait un devoir de visiter une station par jour. Il s'asseyait pour échanger avec les hommes et les visiteurs. Les pompiers parlaient avec respect du « naturel chaleureux et affable de ce vieil homme plein d'entrain », qui veillait sur ses hommes comme le père d'une « grande famille heureuse ».

La bonhomie du chef Bertram s'évanouissait sur le lieu d'un incendie; ses ordres se faisaient concis et clairs. Il se souciait de la vie de ses hommes et désapprouvait tous les risques inutiles. Au plus fort de la lutte, cependant, surtout s'il s'agissait de vies humaines, il « exigeait de l'héroïsme, rien de moins. » Un pompier fit l'observation suivante: « Quoique le chef Bertram fut bon et indulgent envers ses hommes, aucun d'eux n'aurait jamais osé abuser de cette bonté, ni songé à se relâcher à cause d'elle. Que non! Quand le vieil homme lançait un ordre il s'attendait à être obéi et, du reste, il était obéi d'un libre et généreux consentement... »

Sur le site d'un incendie, le chef Bertram circulait avec un bâton de bois franc. S'il surprenait un de ses hommes en train de lui désobéir, il le frappait dans le dos: « M'as-tu compris? », demandait-il. Pas un homme ne s'insurgeait contre ce traitement; on l'acceptait comme une manie du « vieux ». Un autre officier du Service des incendies tenta aussi l'expérience, mais il eut la main moins heureuse. L'homme qu'il frappa lui conseilla de ne jamais plus recommencer.

Les pompiers de Montréal ne s'occupaient pas que d'incendies: il y avait aussi les chevaux. Lorsque le feu s'éternisait, il fallait penser à les nourrir. En hiver, les pompiers devaient veiller à garder leurs chevaux au chaud. Si on les oubliait là où ils avaient été attachés, ils pouvaient geler à mort. « Les chevaux passaient un mauvais quart d'heure », disait Arthur H. Mann, qui se joignit au Service des incendies de Montréal en 1892. « Ils pouvaient sortir à onze heures ou minuit, s'échauffer en galopant vers l'incendie puis, être laissés pour compte dans la neige et l'eau glacée, à 25 degrés sous zéro jusqu'à sept heures du matin, sans rien d'autre qu'une couverture légère sur le dos — si on avait pris le temps de les couvrir. »

Pourtant, les chevaux faisaient la fierté des pompiers. Lorsque Arthur Mann fut nommé capitaine de la station n^{0} 1, Place d'Youville, il y logea quatorze majestueux chevaux gris, dont deux qu'il avait emmenés de son poste précédent.

Un cheval, entre tous, fit sa marque au service des incendies. Il logea à plusieurs endroits mais surtout à la station de la rue Saint-Gabriel. C'était un cheval de pompier fringant mais aussi, fort rusé. Les hommes de la station s'étaient amusés à lui enseigner à faire un signe de tête affirmatif, quand ils le touchaient à un endroit précis, et à secouer la tête quand ils le touchaient ailleurs. Les visiteurs de la station partaient convaincus que « Charley » pouvait comprendre les questions et y répondre.

Au temps où pompiers et chevaux vivaient sur le même plancher à la station Saint-Gabriel, Charley réveillait les hommes au petit matin quand il voulait son fourrage. Il se rendait à la porte du dortoir, jetait un coup d'oeil, et faisait un boucan de tous les diables. Si personne ne bougeait, il se dirigeait alors vers le dévidoir, prenait le battant de la cloche entre ses dents et le balançait d'avant en arrière.

À mesure que progressait l'époque victorienne, la vitesse à la caserne des pompiers ne manquait pas d'accélérer. Dès les années 1890, toutes les stations avaient été équipées de dispositifs automatiques. Quand sonnait l'alarme, les portes des stalles s'ouvraient toutes seules et les longes se débouclaient. Chaque cheval, entraîné avec soin, courait se placer devant son chariot. Les attelages, suspendus au-dessus des chevaux, leur tombaient directement sur le dos. Une simple pression refermait le collier autour de leur cou. La courroie du ventre était aussi fixée par une pression et les guides reliés au mors par une fermeture d'acier flexible. Et l'automatisation continuait: quand le cocher montait sur son siège, il faisait claquer les guides. Ce geste sec n'annonçait pas que le départ des chevaux mais il ouvrait aussi la porte sur la rue. Une galopade effrénée commençait aussitôt.

Dans le *Dominion Illustrated Monthly*, en 1892, un écrivain décrivait ces appareils automatiques comme des merveilles de la vitesse victorienne: « Huit secondes après l'alarme, écrivait-il, la brigade est en route... pensez, huit secondes! Vraiment, nous vivons une ère de vitesse! »

Le Champ-de-Mars

— XVIII —

Exercices publics:

Le Champ-de-Mars

Le Champ-de-Mars était l'endroit à Montréal où les soldats manoeuvraient, où les citoyens se prélassaient, où se déroulaient les exécutions capitales, les rassemblements publics — voire même les émeutes. Nombre de singuliers épisodes y sont attachés.

Comme son nom l'indique, le Champ-de-Mars se voulait à l'origine un terrain d'exercices militaires — un champ dédié à Mars. Sous le Régime français, on y faisait manoeuvrer les troupes, bien qu'à cette époque, moins élevé et d'étendue beaucoup plus modeste, il se situait tout juste en deçà d'un bastion du rempart septentrional de la ville. Le vieux mur fut démoli au commencement du dix-neuvième siècle pour accommoder la population croissante. Les assises demeurèrent, recouvertes de terre. Avant les années 1920, alors que le champ n'était pas encore pavé, le tracé de l'ancienne muraille française transparaissait par temps humide ou pluvieux. W. D. Lighthall, avocat et antiquaire, évoquait ce phénomène en 1924: «Il y a quelques années, avant que le Champ-de-Mars n'ait été recouvert d'asphalte, le contour des vieilles fortifications devenait aisément perceptible après la pluie; la terre entourant l'enceinte absorbait l'eau et découvrait les vestiges des bastions.» C'était là un curieux spectacle, comme si le vieux mur du Régime français hantait la ville, les jours de pluie.

Le Champ-de-Mars prit de l'expansion au cours des années 1820 pour servir à la fois de terrain de manoeuvres militaires et de parc public. Sa superficie s'étendit alors à 240 verges de long par 120 de large. Au moyen de tonnes de terre, son niveau fut haussé et gracieusement mis en valeur par une bordure de peupliers de Lombardie. « De cet endroit, l'on peut admirer les terres soigneusement cultivées, les splendides vergers et les maisons de campagne du côté de la montagne », notait un écrivain, en 1839.

.Les Montréalais n'hésitèrent pas à profiter de la charmante terrasse mise à leur disposition. Le Champ-de-Mars devint leur lieu de promenade préféré. C'était l'endroit pour regarder et être vu, rêvasser et faire étalage de toilettes à la mode. Des amis s'y donnaient rendez-vous pour bavarder. L'air pur vivifiant et le mouvement des promeneurs étaient souvent agrémentés des airs émoustillants d'une fanfare militaire. Un officier, le lieutenant-colonel B.W.A. Sleigh, fit part de ses impressions favorables: « Tout ce beau monde fort bien mis et ce déploiement de beauté feraient honneur à une ville anglaise. »

Pourtant le Champ-de-Mars n'offrait pas toujours le gracieux spectacle des réjouissances sociales. En certaines occasions, une foule d'humeur beaucoup moins aimable y affluait.

Ainsi, les exécutions publiques avaient lieu à l'arrière de la prison. Celle-ci faisait face à la rue Notre-Dame et s'élevait sur le remblai sud du Champ-de-Mars. Puisque l'arrière de la prison dominait le terrain de manoeuvres, une exécution sur un échafaud dressé contre le mur pouvait être observée distinctement par quiconque se trouvait en bas, peu importe l'affluence. Aux yeux de la loi, un échafaud ne pouvait être mieux situé. Si la foule avait peine à voir autour de certains échafauds, au Champ-de-Mars la visibilité était parfaite. Le but des mises à mort publiques était éducatif: elles servaient une leçon exemplaire au plus grand nombre de spectateurs possible sur les terribles conséquences du crime. Les dimensions du Champ-de-Mars à elles seules, outre la situation élevée de la prison au sud de celui-ci, conféraient une solennité particulière aux exécutions capitales de Montréal. Les têtes y tombaient avec un maximum d'effet.

Il n'y avait pas que des curieux morbides parmi la foule qui assistait aux exécutions publiques de Montréal. Les parents y amenaient parfois leurs enfants dans l'espoir de décourager leurs moindres inclinations au crime. Plus d'un citoyen intègre croyait de son devoir de se présenter à ces démonstrations publiques. C'était une façon de témoigner au grand jour de son horreur du crime et de souscrire à sa suppression implacable. Une assistance clairsemée aurait pu être interprétée comme de l'indifférence sociale.

L'importance de la foule était souvent proportionnelle à l'atrocité du crime. La plus forte affluence enregistrée au Champ-de-Mars (du moins, jusqu'à cette période) envahit les lieux un lundi 19 août 1833. Elle fut estimée à 10 000 personnes. À dix heures, ce matin-là, Adolphus Dewey serait pendu.

Personne à Montréal ne se serait douté qu'un jeune homme tel qu'Adolphus Dewey aurait pu se changer en assassin. On le connaissait comme un « homme d'apparence distinguée » doué d'un « naturel franc et ouvert ». Il jouissait d'une « bonne réputation ».

Durant l'été de 1832, il s'éprit d'Euphrosyne Martineau, fille de l'ébéniste Louis Martineau. Ils s'unirent par le mariage en janvier 1833, le père ne voyant aucune raison de s'objecter. Un proche allégua qu'Adolphus « paraissait l'aimer presqu'à la folie ».

Dewey loua des chambres à la pension de Bernard Henrick, rue Saint-Vincent. Les pensionnaires les surprirent souvent à se quereller. Adolphus cassait les pots; elle pleurait. Un jour, par curiosité, Henrick lui-même se rendit à la porte de leur chambre. En montant sur une chaise, il put jeter un coup d'oeil par une fente au haut de la porte. Il la vit en larmes. Lui, arpentait la pièce, les bras croisés. Elle se jeta soudain à son cou. « Mon Dieu! Mon Dieu! », supplia-t-elle. Le mari restait impassible, les bras toujours croisés.

Euphrosyne quitta Adolphus pour habiter chez un oncle. Une soi-disant réconciliation fut convenue. Le dimanche 24 mars 1833, Adolphus Dewey et son épouse se rendirent à la messe de cinq heures célébrée à l'église Notre-Dame, sur la Place d'Armes. Ils s'agenouillèrent devant le même autel où leur mariage avait été béni quelque deux mois auparavant. Dès qu'ils eurent descendu les marches du parvis de l'église, il se mit à l'entraîner en direction est de la rue Notre-Dame. Les passants se retournaient sur leur passage car elle avait peine à le suivre. Ils enfilèrent la rue Saint-Paul pour s'arrêter devant la boutique que Dewey avait louée en vue de diriger un commerce de nouveautés. Il sortit ses clés. Le magasin avait deux portes: l'une de bois, l'autre de fer. Il ouvrit les deux et disparut à l'intérieur avec sa femme.

Il se procura quelques chandelles, les alluma et les posa. Se tournant vers sa femme: « Il y a si longtemps que nous vivons en difficulté, dit-il, il faut en finir ici. » Elle croyait à une plaisanterie. Il saisit une hache.

Adolphus engagea un charretier pour passer la frontière américaine. Le conducteur remarqua le comportement étrange de son passager. « Je ne veux pas être vu, disait-il, je vais me glisser sous les couvertures. »

Arrêté à Plattsburg et traduit en justice à Montréal, Dewey fut défendu par trois des meilleurs avocats. Or les faits étaient accablants. Le juge soutint que « l'innocent et honnête homme ne craint rien des lois de son pays qui le protègent; il n'y a que les coupables qui fuient. » Il fut condamné à mort, conduit dans une cellule de la prison de Montréal et enchaîné à un anneau fixé au mur. Il exprima un dernier souhait: que ses amis lui apportent un manteau noir car il désirait mourir bien vêtu.

Adolphus Dewey gratifia son immense public du Champ-de-Mars d'une superbe performance: « L'attitude de l'infortuné jeune homme ... fut ferme, résolue et virile, sans prétendre à l'impudence ni à l'effronterie héroïque. » Debout sur l'estrade derrière la prison, les bras solidement noués, il s'adressa à la foule. Quoiqu'il eût mémorisé son discours, il demanda au constable Malo (l'homme chargé de l'arrêter à Plattsburg) d'en tenir le manuscrit. Malo serait souffleur au besoin.

Dewey parla « avec un extraordinaire sang-froid, nullement intimidé par la présence de la multitude ... et avec une emphase et une netteté qui permirent l'audition de chaque syllabe à une distance exceptionnelle. »

L'assistance apaisée ne perdit pas un mot: « Après avoir demandé pardon à Dieu dans l'amertume de mon coeur, je sollicite le vôtre et celui de la ville entière pour l'ignominie dont je suis l'auteur...

« Vous êtes témoins de ma condition et en êtes émus; tirez-en profit et pénétrez-vous du néant de ce monde. Oh mes chers compatriotes! Si vous pouviez regarder cette affaire avec mes yeux, comme vous seriez vite désabusés des vanités et des illusions temporelles; vous sauriez alors que rien n'est durable ici-bas que le service de Dieu.

« Mon heure est venue, la vôtre viendra; n'attendez plus pour vous y préparer ... Je demande le soutien de vos prières; si j'obtiens le pardon, tel que je le souhaite, je ne vous oublierai pas devant Dieu ... Priez pour moi, ceux d'entre vous qui ont le coeur juste, priez pour un malheureux qui vous quitte pour l'éternité. »

Il passa ses derniers instants en compagnie de son confesseur. Le père Denis prononça une brève prière et donna sa bénédiction. La foule la plus imposante jamais réunie à Montréal vit Adolphus Dewey tomber dans son destin. L'espace d'une minute, « toute apparence de vie s'était éteinte. »

Il n'y avait pas que les exécutions publiques qui attiraient les foules. Le Champ-de-Mars était l'emplacement idéal des rassemblements publics à l'extérieur, des discours et des manifestations. Au printemps de 1849, l'une de ces réunions prit une telle tournure qu'elle entraîna des conséquences dramatiques et durables pour l'histoire de Montréal, et celle du Canada. Si ce rassemblement n'avait jamais eu lieu, Montréal serait peut-être aujourd'hui la capitale du Canada.

En 1849, Montréal était, de fait, la capitale canadienne bien que le vocable « Canada » ne faisait alors allusion qu'à ce que nous connaissons présentement comme les provinces de l'Ontario et du Québec. L'édifice du Parlement se dressait place du Marché (de nos jours, Place d'Youville). Au cours de ce printemps, la ville était déchirée par la controverse. Un projet d'acte, le « *Rebellion Losses Bill* », venait tout juste d'être voté loi. C'était une mesure visant à dédommager, à même les fonds publics, ceux ayant encouru des pertes personnelles lors de l'insurrection politique de 1837-38. Les Tories étaient furieux. Ils soutenaient que le bill n'établissait aucune distinction valable entre ceux qui avaient été rebelles et ceux qui avaient été loyalistes. Ils le dénoncèrent à titre de « mesure révolutionnaire sans précédent dans l'histoire des nations civilisées, en vertu de laquelle les victorieux défenseurs du Trône » devaient « être taxés pour compenser les pertes des rebelles défaits. »

Les Tories ne céderaient en rien; d'une façon ou d'une autre, ils étaient résolus de contrer l'application de cette loi. On planifia une démonstration gigantesque. Alfred Perry, membre actif de la brigade des pompiers volontaires, se précipita sur une pompe à incendie qu'il conduisit à la débandade à travers les rues. Sur les côtés de l'appareil, on lisait sur des écriteaux, en gros caractères: « Au Champ-de-Mars! Au Champ-de-Mars! »

Un attroupement agressif, hargneux, exacerbé se mit à envahir le Champ-de-Mars. Il prit bientôt de telles proportions que (selon certains dires) plus de cinq mille personnes s'y amassèrent.

On s'éclairait à la lueur des torches. Les rafales de vent de cette nuit d'avril en faisaient vaciller la flamme.

Certains orateurs recommandèrent la modération. Une « pétition à Sa Majesté » fut proposée. C'est alors que le jeune Fred Perry monta sur la plate-forme. La foule lui réclama un discours. Il avança sur l'estrade, retira sa casquette et s'en servit pour éteindre une torche — la torche qui devait éclairer le lecteur de la pétition. Le temps des pétitions était passé, affirma Perry. Si ceux qui étaient présents étaient convaincus, ils le suivraient jusqu'au Parlement. La foule répondit par des acclamations. Fred Perry mena l'assemblée hors du Champ-de-Mars. Elle se répandit en flots dans la rue Saint-Gabriel et le long de Notre-Dame, en direction du Marché Sainte-Anne.

La cohue criait et vociférait. Des flambeaux s'agitaient. Le Champ-de-Mars, subitement obscurci et vide, ne résonnait plus que des bourrasques d'avril fouettant les rameaux dénudés des peupliers de Lombardie. L'émeute s'engouffra dans l'édifice du Parlement où l'Assemblée tenait une séance de nuit. Dans le tumulte, le feu éclata dans l'édifice. La cohue se mit à tournoyer autour du sinistre dans une furie politique orgiaque. Ce soulèvement valut à Montréal une terrible sanction. L'édifice du Parlement ne devait jamais renaître de ses cendres. Montréal n'était plus capitale.

Dans l'intervalle, au long des années où il servait d'esplanade ou était le théâtre d'exécutions publiques et de violentes manifestations, le Champ-de-Mars continuait néanmoins de remplir sa fonction première, soit celle de terrain de manoeuvres. Jusqu'au début des années 1870, Montréal fut une des villes de garnison de l'Empire britannique. Les régiments impériaux (notamment les plus célèbres d'entre eux) y servaient à tour de rôle. Ces troupes britanniques professionnelles offraient à leur entraînement un spectacle sans égal, non seulement pour les Montréalais mais aussi pour les visiteurs. En effet, ces exercices ébahissaient les Américains de passage, peu accoutumés à une telle précision de manoeuvre.

L'un des Américains qui vit les militaires au Champ-de-Mars fut Henry David Thoreau. Un Yankee indépendant au point de refuser de payer son impôt n'était pas homme à apprécier la discipline militaire. Pourtant, même cet observateur s'émerveilla de l'exactitude quasi surhumaine déployée par « un important détachement de soldats en cours de manoeuvre » en 1850. « Ce fut un des spectacles les plus intéressants qu'il m'a été donné de voir au Canada », écrivit-il. « La difficulté m'apparaissait être d'aplanir toutes les particularités individuelles, ou idiosyncrasies, et de faire bouger un millier d'hommes comme un seul, animés par une seule volonté ; aussi, ils n'étaient pas loin d'y réussir. Ils obéissaient aux signaux d'un commandant situé à une grande distance, bâton en main. La précision, la prestesse et l'harmonie de leurs mouvements auraient pu difficilement être égalées. Cette harmonie, de beaucoup plus remarquable que celle de n'importe quel choeur ou fanfare, était sans doute atteinte au prix de plus grands efforts. Ils m'ont laissé l'impression, non pas d'un ensemble d'individus, mais d'un énorme mille-pattes humain... »

Longtemps après que la garnison britannique fut retirée, le Champ-de-Mars conserva sa vocation de champ de manoeuvres militaires. Il devint le terrain d'entraînement des régiments de milice de Montréal. Une immense salle d'exercice, ou arsenal, fut construite sur la rue Craig pour la milice. Là, divers régiments de volontaires se réunissaient aux soirs ou aux heures convenues. Quant aux manoeuvres extérieures, ils n'avaient qu'à quitter l'arsenal et traverser la rue Craig pour se retrouver au Champ-de-Mars.

Le vingtième siècle suscita bien des changements. Peu à peu, l'ancienne salle d'exercice de la rue Craig fut désaffectée ; les régiments de milice furent pourvus d'arsenaux respectifs dans différents secteurs de la ville. Le Champ-de-Mars perdit son apparence soignée. Le gouvernement du Canada en avait fait don à la Ville de Montréal en 1889 pour un loyer annuel d'un dollar, se réservant toutefois le droit de le réclamer pour fins militaires. Au cours d'une visite à Montréal, le premier ministre Sir Wilfrid Laurier se plaignit à la Ville de l'état de délabrement du Champ-de-Mars. La Ville y remédia en faisant abattre les peupliers de Lombardie pourrissants, vieux de quatre-vingt-dix ans. La place en parut plus propre mais également, plus triste.

Il fallait trouver une nouvelle vocation au Champ-de-Mars. Il n'était désormais plus d'usage en tant que promenade élégante ni comme lieu de rassemblement pour les exécutions publiques ou les manifestations politiques ; il ne servait presque plus aux manoeuvres militaires. Pendant quelques années, on y installa un marché afin d'accommoder le surplus des charrettes de fermiers venant du marché Bonsecours, non loin de là. Or la multiplication des automobiles créa un nouveau besoin : on demandait un espace de stationnement dans le Vieux-Montréal. En 1926, le Champ-de-Mars devint un immense parc de stationnement.

C'était un sort prosaïque. Seuls les vieux guides touristiques lui rendent son prestige d'antan, entre autres, *The Canadian Handbook and Tourist's Guide* pour l'année 1867: « Le Champ-de-Mars, face au Palais de Justice, est un splendide terrain de manoeuvres fort bien entretenu; aussi, le visiteur se doit-il d'assister aux exercices et aux défilés des différents régiments de la garnison qui s'y tiennent quotidiennement en été. En soirée, une fanfare militaire y joue habituellement ... créant ... une ambiance à la mode par ses accords entraînants. »

Le cimetière du Mont-Royal:
porte de la Côte-des-Neiges

—XIX—

Au cimetière de la Côte-des-Neiges:

Les étranges obsèques de Joseph Guibord

Entre deux et trois heures de l'après-midi, le 2 septembre 1875, un cortège funèbre (un corbillard et douze voitures) se présenta à la grille du cimetière catholique romain de la Côte-des-Neiges. Il y parvint à une étrange vitesse: au trot! Aux portes d'entrée grouillait une foule hostile et frénétique. Des meneurs haranguaient leurs amis «en gesticulant avec véhémence». Dès que le corbillard parut sur la route, on ferma les barrières «en toute hâte et fort maladroitement». Quoique déterminée, la foule était nerveuse.

Le cortège fit halte à l'extérieur des portes. Les responsables du convoi hésitèrent un moment. Les émeutiers redoublèrent alors de hardiesse et se mirent à étançonner les barrières pour renforcer leur position. Les murmures enflèrent en clameurs. «Les agitateurs criaient maintenant comme des forcenés: «Ils n'entrent pas! Ils n'entrent pas!»

Le cocher du corbillard, juché sur sa banquette, exposé comme une cible, éprouvait de la difficulté à contenir ses chevaux effrayés par la cohue. La foule passa du défi à l'attaque. Elle se rua sur les chevaux. Le conducteur, William Seale (un jeune homme dans la vingtaine) tenta de faire demi-tour pour leur échapper, mais on l'obligea à quitter la route et il dut bifurquer entre un arbre et les grilles. Des roches pleuvaient autour de lui ; quelques-unes atteignirent même le côté du corbillard. Il ne lui restait plus qu'à tenir les chevaux en bride de toutes ses forces afin qu'ils ne prennent pas le mors aux dents.

Éparpillés devant les grilles, les membres du défilé se consultèrent. La grêle de pierres s'amplifiait. Plusieurs personnes du convoi avaient déjà été frappées, dont quelques-unes très gravement. Indignés, certains avaient sorti leur pistolet. George Martin, poète et photographe, était du cortège funèbre ce jour-là : « Selon la rumeur, écrivait-il, nous rencontrerions une violente opposition, à nos risques et périls. Pour la première fois de ma vie je portais un revolver dans la poche intérieure de mon manteau. La plupart de mes compagnons, semble-t-il, avaient fait de même... Un de mes amis de la Côte-Saint-Paul perdit son sang-froid ; il s'enflamma d'indignation et réclama la guerre ouverte. Je me précipitai pour l'empoigner par les bras et lui souffler des remontrances quant aux redoutables conséquences de son emportement. Je savais qu'un seul coup de feu déclencherait un affrontement général qui ajouterait plus d'un cadavre à celui du corbillard. Quelques têtes froides détournèrent la tempête... »

La vue des chevaux frémissants qui se cabraient excita la foule. William Seale éloigna les bêtes des portes. Une heure passa. Finalement, le cortège battit en retraite. Corbillard et voitures s'en retournèrent. Le rassemblement s'attarda devant les grilles, prêt à affronter le convoi si celui-ci s'avisait de revenir. Entre temps, des protestataires se rendirent à la fosse et, à l'aide de deux pelles, ils la comblèrent.

La dépouille mortelle, cause de cette escarmouche, était celle de l'imprimeur Joseph Guibord. On le disait « homme d'une moralité irréprochable et de moeurs rangées et honnêtes, bref, un citoyen intègre. » À titre d'imprimeur, il se tenait à l'avant-garde de la science et produisit même le premier livre stéréotype au Canada. Catholique convaincu de longue date, il avait jadis imprimé pour l'Église.

Joseph Guibord commença à s'attirer des ennuis le jour où il s'affilia à l'Institut canadien, peu de temps après sa fondation en 1844. L'Institut avait créé des centres de lecture, de conférences, de discussions et de rencontres amicales. Ces initiatives n'offraient, en soi, rien de répréhensible pour l'Église, les sociétaires eussent-ils accepté la direction et la surveillance du clergé. En effet, les difficultés de l'Institut découlèrent de son affirmation d'indépendance. Il revendiquait la liberté d'opinion, une bibliothèque non-censurée, l'admission de membres non-catholiques et l'invitation de conférenciers aux idéologies variées. En somme, un libéralisme comparable à celui qui balayait toute l'Europe, caractérisait l'Institut canadien à Montréal.

L'ensemble des adhérents était assez hétéroclite: certains se disaient anticléricaux voire athées ou agnostiques. La majorité se composait néanmoins de Catholiques romains aspirant à une interprétation élargie des principes dogmatiques, à un dialogue plus ouvert avec les autres confessions, et à un accueil plus favorable de l'Église face aux nouvelles orientations scientifiques, sociales et intellectuelles. Ils étaient convaincus que l'isolement de l'Église catholique de la pensée et des mouvements contemporains la rendrait incapable de commerce avec le monde moderne, lui aliénerait les intellectuels, et en ferait une entrave au progrès. Ces membres, esprits libéraux de foi catholique, espéraient produire l'avènement d'un catholicisme libéral par la réconciliation de leurs valeurs.

L'Institut canadien s'avérait une réussite. La nouveauté de ce courant répondait à un besoin dans la province. Dès 1850, il comptait déjà une centaine de filiales. Outre le nombre toujours croissant de ses partisans, la qualité intellectuelle des hommes qu'il attirait était remarquable. Parmi eux, un jeune avocat ambitieux: Wilfrid Laurier.

Le siège social de l'Institut, rue Notre-Dame à Montréal, offrait une bibliothèque imposante. Le choix des livres y était fort diversifié. Les membres avaient accès à l'oeuvre intégrale de Voltaire ou pouvaient prendre connaissance de l'*Histoire de l'Inquisition* de Florente. Sur les tables de la salle de lecture, chacun pouvait feuilleter à loisir les plus récents journaux et magazines, dont le virulent *Witness* anti-catholique de Montréal. La société possédait également une spacieuse salle de conférences — sorte de forum de la libre expression et du libre-échange.

La confrontation était inévitable. Le pape Pie IX et toute la hiérarchie ecclésiastique dénoncèrent le libéralisme comme la mère de tous les vices et préparèrent une contre-attaque massive. Selon eux, le libéralisme ne représentait pas une évolution mais plutôt l'hérésie. Il tendait à rendre les hommes arbitres de leurs convictions et de leur conduite. L'Église (institution toujours consciente de la propension humaine à la faiblesse et au mal) craignait que son rôle de guide inspiré n'en soit miné et anéanti.

Les libres penseurs du monde réclamaient alors une nette rupture entre l'Église et l'État. L'Église devait se retirer des affaires publiques pour limiter son autorité aux questions de foi et d'éthique. Mais le pape ne pouvait accepter que l'Église se taise sur des questions d'ordre social ou politique, là où sa direction pourrait être requise et son avenir se trouver sérieusement engagé. Du reste, les partisans du libéralisme semblaient prêts à s'accorder de nouveaux critères moraux. Si l'Église composait avec le libéralisme, en manifestant plus de tolérance et d'esprit de conciliation, elle exposait tous les Catholiques aux irrévérencieuses influences modernes du scepticisme et du cynisme qui menaçaient la candeur et la simplicité de leur vie spirituelle.

La promotion d'un libéralisme catholique par l'Institut, au moment même où le pape le condamnait, ne s'avéra pas une entreprise fructueuse. Et ce qui n'aidait en rien la cause, l'évêque de Montréal, à cette époque, était monseigneur Bourget. Celui-ci déploya un zèle et une résolution considérables à promouvoir un renouveau religieux d'une tout autre nature. Il prônait la piété familiale, une soumission aveugle à la doctrine inspirée de l'Église, et le rejet énergique de tout ce qui pourrait supplanter, ébranler ou affaiblir la confiance en la gouverne de l'Église.

Monseigneur Bourget était aussi le chef éminent du mouvement ultramontain, doctrine religieuse favorable à l'autorité absolue du pape, qui avait grand besoin d'être renforcée. Les Catholiques francophones du Canada, groupe spécifique mais isolé risquant à tout moment d'être absorbé et assimilé par la masse nord-américaine, avaient particulièrement besoin de l'ultramontanisme. Dans son enthousiasme pour la Ville éternelle, il conçut sa nouvelle cathédrale d'après le modèle (réduit) de Saint-Pierre de Rome. Pour mieux établir l'allégeance et la tradition romaines, il latinisa les nouvelles églises construites dans son diocèse à la défaveur du style gothique. Une forêt de clochers, d'ordres et d'institutions catholiques se mirent à proliférer dans le diocèse de Montréal sous sa tutelle énergique.

L'avènement de l'Institut canadien, jaloux de son indépendance et dévoué à la cause du libéralisme, ne manqua pas de paraître à monseigneur Bourget comme une provocation calculée de son autorité et de ses aspirations. Il finit par soutenir que « le libéralisme catholique est une chose qui doit être considérée avec la même répugnance que la peste. » Cette peste se manifestait déjà dans son diocèse; elle s'y propageait et menaçait de s'étendre encore davantage. En sa qualité d'évêque et de serviteur du pape, il était donc de son devoir de la mettre en quarantaine afin de l'enrayer. Il ne pouvait pas se résoudre à moins: aucun compromis possible avec la peste.

Les animosités politiques achevèrent d'électriser l'affrontement. L'Institut canadien comptait surtout des membres du parti « rouge » — ces Canadiens français qui aspiraient à former une aile libérale française distincte du Parti libéral canadien. Pour sa part, monseigneur Bourget appuyait les conservateurs et favorisait l'aile catholique française du parti conservateur canadien, ultramontaine par surcroît. L'Institut canadien comptait tant de « rouges » parmi ses membres, qu'en 1854, plus d'une douzaine d'entre eux furent élus en tant que libéraux au Parlement. L'Institut défendait également ses intérêts dans le journal *Le Pays* — un des « mauvais journaux » dont l'évêque interdisait la lecture à ses ouailles.

L'une des premières mesures de l'évêque contre l'Institut fut de le condamner pour possession de livres irréligieux dans sa bibliothèque — livres qui, de fait, figuraient dans l'Index des livres interdits, publié à Rome. L'Institut répliqua fermement: « L'Institut, déclara-t-il, a toujours été, et demeure seul apte à juger de la moralité de sa bibliothèque, et à en assurer la gestion sans l'intervention d'influences étrangères. » Plus tard, la société tenta d'en venir à une entente. Elle délégua quelques émissaires auprès de l'évêque. Or, celui-ci ne se montra pas intéressé à négocier; il exigeait une soumission inconditionnelle.

Dans l'intervalle, l'Institut fournissait une nouvelle arme à l'évêque. Son *Annuaire* publiait le texte des causeries prononcées par ses conférenciers invités. Dans une de ces allocutions, Horace Greeley, le prestigieux rédacteur en chef du *Tribune* de New York avait loué la liberté de pensée et la suprématie du libre arbitre dans la quête de la vérité. Greeley fut chaleureusement remercié par l'avocat Christophe-Alphonse Geoffrion: « Votre présence parmi nous est la ratification formelle de la voie suivie par l'Institut depuis sa fondation, sans dévier d'un iota, en dépit des innombrables obstacles accumulés sur sa route. »

Le discours de Greeley, ainsi que bien d'autres, parurent dans l'*Annuaire* de 1868. Monseigneur Bourget en expédia plusieurs exemplaires à Rome. Le 14 juillet 1869, l'*Annuaire* fut porté à l'Index. Investi d'un édit papal, l'évêque adressa alors une lettre pastorale à toutes les églises du diocèse de Montréal. Tous les Catholiques romains devaient immédiatement quitter l'Institut sous peine de se voir refuser les sacrements — même en danger de mort. Cette condamnation ne visait pas que les membres de l'Institut. Un Catholique qui s'aventurerait à lire, ou n'eût-il été qu'en possession de l'*Annuaire*, se verrait passible de la même sanction.

Les membres de l'Institut se dispersèrent rapidement. Quelques-uns continuaient de croire en une éventuelle réconciliation du catholicisme et du libéralisme. L'un d'eux, Gonzalve Doutre, se rendit même à Rome, en octobre 1869, à la recherche d'une interprétation plus souple de la doctrine catholique que celle de monseigneur Bourget. Peine perdue: le Saint-Père lui-même s'était voué à l'éradication du libéralisme. Wilfrid Laurier, malgré ses fonctions officielles à l'Institut de Montréal, échappa à la crise en déménageant à Arthabaskaville en 1866, pour y pratiquer le droit et y diriger un journal.

Un noyau de membres tenaces refusèrent de renoncer à l'Institut et à ses principes. Parmi eux se trouvait Joseph Guibord. Si un Catholique pouvait être condamné pour avoir lu ou simplement possédé l'*Annuaire* de l'Institut, à plus forte raison, un sociétaire de vieille date. Guibord avait cessé de pratiquer son culte mais, à l'occasion, son exclusion de l'Église lui pesait lourdement. À l'automne de 1869, il fut frappé par la maladie et crut mourir. Il appela un prêtre à son chevet. Celui-ci l'enjoignit de renoncer à l'Institut, sans quoi il ne recevrait pas les derniers sacrements. Même à l'article de la mort, l'attachement et la loyauté de Guibord envers l'Institut ne furent pas ébranlés. En conséquence, il fut privé de l'extrême-onction. Avec le temps, Guibord se remit; pendant plusieurs semaines il sembla en voie de convalescence. Puis, brusquement, il mourut d'apoplexie. L'attaque fut si subite qu'aucun prêtre n'eut le temps de courir à ses côtés.

La question fut alors soulevée: où allait-on l'inhumer? Monseigneur Bourget, à ce moment-là, assistait à Rome au concile du Vatican. Le curé de l'église Notre-Dame, M. Benjamin-Victor Rousselot, consulta le vicaire-général, le chanoine Alex-Frédéric Truteau, qui administrait le diocèse par intérim. « Vous me dites que M. Guibord était un membre de l'Institut, remarqua le chanoine Truteau, et qu'il mourut sans l'avoir quitté; il m'est donc impossible de lui accorder l'inhumation ecclésiastique. » Les amis de Guibord, en appelant au curé Rousselot, se virent refuser par deux fois la sépulture ecclésiastique.

L'Institut décida néanmoins d'ériger l'affaire Guibord en une cause exemplaire opposant les droits civiques et l'autorité ecclésiale. Dans un premier temps, on conduirait la dépouille au cimetière catholique comme si son inhumation y était chose normale et incontestable.

Plus de deux cents personnes se rassemblèrent devant « l'humble demeure » de Guibord, rue Panet, un dimanche après-midi, 21 novembre 1869. Ils escortèrent le corbillard jusqu'au cimetière Notre-Dame-des-Neiges (appelé familièrement cimetière de la Côte-des-Neiges). Le convoi franchit les grilles et s'arrêta en face de la chapelle. Le gardien du cimetière fut prié d'inhumer le cercueil « de la manière habituelle, propre aux Catholiques ». Courtois, celui-ci répondit qu'il avait été instruit par « ces messieurs du palais épiscopal de refuser l'inhumation dans l'enceinte réservée aux Catholiques. » Mais cela ne signifiait pas qu'il refusait toute sépulture. On lui permettait d'enterrer Guibord dans un petit cimetière adjacent, réservé aux enfants non-baptisés et aux personnes mortes hors du giron de l'Église.

Les amis du défunt demandèrent à voir cet endroit. Le surveillant les y conduisit; une grande partie du cortège funèbre le suivit. Quand on lui demanda si le terrain non-consacré ne contenait pas des corps de criminels exécutés, le surveillant répliqua que cela dépendait de leur soumission aux exigences de l'Église avant leur mort. Il pointa son doigt vers un lopin de terre bénie: « Là, repose Beauregard, et ici, Barreau. » Ils avaient été exécutés pour meurtre, mais l'un d'eux s'était confessé et réconcilié avec l'Église.

Les amis de Guibord se consultèrent et prirent une décision. Le convoi funèbre se reforma. Il passa les grilles du cimetière de la Côte-des-Neiges et se dirigea vers le cimetière protestant Mont-Royal. Là, on déposa le cercueil dans un caveau de pierre toujours visible aujourd'hui, sur la route qui bifurque à droite à partir des portes. Il avait été construit pour abriter les tombes durant l'hiver car on ne creusait pas de fosses lors de la saison froide. Devenu remise pour les outils de jardinage, ce caveau a deux portes de fer; le cercueil de Guibord fut introduit par la porte ouest.

Debout, face au caveau macabre, les amis de Guibord prononcèrent quelques discours. « Nous lui rendons hommage, dit un des membres de l'Institut canadien, parce qu'à l'heure suprême, il n'a pas abandonné la cause et nous a légué un exemple de courage moral... » Faisant allusion au conflit opposant l'Institut et l'évêque, un autre orateur distingua deux courants de pensée au coeur de l'Église. L'une aspirait à se gagner toutes les autres confessions. L'autre, semblait « repousser de son sein tous ses plus remarquables fidèles. »

Le dernier orateur fit un bilan des événements de ce dimanche de novembre 1869 et de leur signification réelle. L'Institut canadien défendrait en cour les droits de Guibord à la sépulture. Son corps ne reposerait dans la voûte du cimetière Mont-Royal que « le temps d'obtenir un ordre de la Cour, enjoignant les autorités du diocèse de Montréal » d'accorder au défunt l'inhumation réclamée par sa famille et ses amis.

Joseph Guibord, couché dans son cercueil, devint le symbole de l'antagonisme entre l'Institut canadien, comme tout ce qu'il représentait, et monseigneur Bourget et tout ce qu'il représentait. L'Institut, par le biais d'un de ses avocats-membres, Joseph Doutre, persuada la veuve Guibord, Henrietta Brown, de se faire demanderesse. Trois jours suivant la première tentative d'inhumation de Guibord au cimetière de la Côte-des-Neiges, une poursuite judiciaire fut intentée contre l'Église. L'évêque avait essayé de soumettre l'Institut à ses volontés. Maintenant c'était au tour de l'Institut, par l'affaire Guibord, de tenter de faire fléchir l'évêque. D'après la loi, monseigneur Bourget ne pouvait pas être traduit en justice, même si c'était contre sa personne que la plainte était dirigée. Le cimetière de la Côte-des-Neiges étant en cause, on intenta un procès contre ses administrateurs ainsi que le curé et les marguilliers de Notre-Dame. Le principal accusé fut le révérend Benjamin-Victor Rousselot, sulpicien d'origine française et curé de Notre-Dame.

Au cours du procès qui suivit, les avocats du curé produisirent une déposition stupéfiante. Dans cette déclaration le curé affirmait: — « ... Madame Guibord est venue au parloir du séminaire, où je lui demandai si c'était vrai qu'elle n'approuvait pas la poursuite en justice intentée contre moi. Voici ce qu'elle me répondit: « Non Monsieur, je ne veux pas qu'ils vous mêlent à un procès, ni vous ni l'Évêque. J'ai dit ceci aux hommes qui m'ont menée en cour contre mon gré. Je leur ai dit et répété que je ne voulais pas déposer de réclamation contre le séminaire, ni contre l'Évêque. » Je lui demandai alors si elle n'avait pas signé une procuration autorisant certains de ces messieurs de l'Institut à intenter un procès contre nous. « Non Monsieur, répondit Madame Guibord, je n'ai jamais rien signé. Tout ce qui s'est produit, c'est qu'on m'a conduite devant le juge et que je n'ai pas compris pourquoi je me trouvais là, ni ce que j'y ai dit. »

Il était évident, à la lumière de cet incident, que la cause ne concernait vraiment que l'Institut canadien et l'Église, et qu'on avait forcé la veuve Guibord, une illettrée, à jouer le rôle de plaignante, contre sa volonté et son entendement. Pourtant, la déclaration assermentée du curé ne fut pas jugée suffisante pour suspendre le procès.

Des mesures avaient été prises en vue d'un mandat qui imposerait la sépulture de Guibord dans le lot acquis pour son cercueil. La requête fut entendue par le juge Charles Mondelet. L'Institut pouvait se féliciter d'avoir le juge Mondelet pour cette phase préliminaire du procès, car il était bien disposé envers les libres penseurs. Il avait défendu les rebelles de 1837-38 à leur procès de 1839, quoique l'Église eut condamné leur révolte; il montra aussi de l'indépendance en épousant une non-Catholique. Après audition des témoignages pendant dix-sept jours, le juge Mondelet fit connaître son ordonnance. Il appuya l'action en justice du demandeur et exigea que le curé et les marguilliers de Notre-Dame procèdent à l'inhumation de Joseph Guibord en terre bénie dans les six jours.

Le combat devant les tribunaux ne faisait que commencer. Le délai accordé pour la mise en terre ne devait pas être les six jours prescrits par le juge Mondelet mais s'étendrait plutôt sur une période de six années. La cause fut portée en appel. Cette fois, par jugement unanime, la décision du juge Mondelet fut renversée. Le 30 septembre 1870, la Cour d'appel détermina que le clergé de l'Église catholique, dans l'exercice de ses fonctions, échappait à la juridiction d'un tribunal civil. L'Institut commettait donc une erreur légale en présentant une cause purement ecclésiastique devant une cour civile sans pouvoirs quant à l'administration interne de l'Église.

Cette fois, ce fut à l'Institut de faire appel; l'affaire fut portée devant la Cour du Banc de la Reine. L'avocat de l'Institut, Joseph Doutre, proposa que tous les juges catholiques soient bannis de l'audition de la cause, invoquant que ces derniers ne pourraient en arriver à un verdict impartial dans un conflit d'intérêts civil et religieux. La requête de Doutre fut rejetée avec indignation car elle mettait sérieusement en doute l'intégrité des Catholiques en tant que juges. Le 7 septembre 1871, la Cour du

Banc de la Reine maintint le jugement de la Cour d'appel: les cours civiles n'avaient aucune compétence en matière religieuse.

L'Institut n'avait plus qu'un espoir: présenter l'affaire Guibord devant le Conseil privé de Londres. Les frais seraient prohibitifs; l'Institut avait déjà défrayé les coûts de trois autres procès. Cependant, la cause avait maintenant suscité tant d'intérêt que Catholiques et Protestants de Montréal s'unirent pour recueillir les sommes nécessaires au moyen de souscriptions.

Le 28 novembre 1874, le Conseil privé rendit un verdict final et irrévocable. Sa décision se fonda principalement sur l'Acte de Québec de 1774 — mesure historique par laquelle le gouvernement anglais assurait à l'Église catholique romaine du Québec essentiellement les mêmes droits que ceux acquis sous le Régime français. Le Conseil privé signala toutefois que ces droits n'avaient pas été illimités. Les rois de France avaient appliqué les principes du «gallicanisme» qui tendaient à exclure le clergé des affaires civiles ou temporelles, et à reconnaître le droit d'interjeter appel devant les cours civiles contre les décisions ecclésiastiques. L'Acte de Québec de 1774 avait perpétué tant les pouvoirs que les limites de l'Église catholique romaine du Québec tels qu'ils avaient existé sous le Régime français. Du reste, l'Index de Rome et les sanctions imposées aux Catholiques qui n'en tenaient pas compte, n'avait jamais été reconnu en France, ni au Canada. Il n'avait donc aucun effet sur Guibord. Aucune sentence ecclésiastique basée sur l'Index ne pouvait lui ravir son droit à la sépulture chrétienne.

La cause s'éternisa à tel point que Madame Guibord mourut dans l'intervalle. Malgré ce qu'elle aurait présumément confié au curé, elle était toujours demeurée fidèle à l'Institut canadien. Non seulement lui légua-t-elle sa propriété par testament, mais elle le nomma légataire universel. Sa mort souleva la question suivante: pouvait-on faire appel au Conseil privé maintenant que l'appelante était décédée? L'Institut obtint la permission de plaider la cause au Conseil privé en son nom propre. Ainsi, durant les dernières audiences publiques, l'affaire Guibord devint en loi ce qu'elle avait toujours été en fait: une confrontation directe entre l'Institut et l'Église. Devant la loi, l'Institut triompha. Le Conseil privé ordonna au curé et à la fabrique de Notre-Dame d'inhumer Guibord dans la section du cimetière de la Côte-des-Neiges ordinairement réservée aux Catholiques. En outre, ils durent acquitter les frais de cour — non seulement ceux de l'appel au Conseil privé mais aussi tous ceux encourus aux cours inférieures.

Gagner sa cause au Conseil privé représentait une première étape ; mettre la décision de la cour à exécution était autre chose. L'affaire Guibord n'avait jamais été que la revendication de droits privés. C'était une cause type qui dépassait Joseph Guibord, même l'Institut canadien. Toute la question du libéralisme catholique était en cause. L'audace de l'Institut à traduire l'Évêque en justice — ce qui résumait toute l'affaire — était provocante à souhait. Sa détermination à plaider devant quatre cours, et cela dans l'intervalle de six années, avait créé un état de crise menaçant d'éclater. L'heure décisive était arrivée. Armé d'une simple ordonnance légale, et de quelques revolvers pour son autodéfense, l'Institut arriverait-il à forcer les portes du cimetière?

Le 2 septembre 1875, l'Institut mit ses droits à l'épreuve. Ce fut un désastre. Non seulement le cortège funèbre ne put-il franchir la grille du cimetière, mais il dut reculer sous une pluie de projectiles. L'Institut enjoignit l'État d'exercer sa pleine autorité. S'il fallait recourir à l'armée pour enterrer Guibord, alors ce serait l'armée. Au nom de la loi ! Ce recours à la force, même au nom de la loi, provoqua une levée de boucliers. Le journal *Le Nouveau Monde* pressentit que toute tentative de prise d'assaut inciterait le peuple à la révolte.

La loi souveraine, appuyée par l'irrésistible autorité civile, se mit en branle. Le 16 novembre 1875 fut la date choisie pour exécuter les obsèques de Joseph Guibord. La matinée fut sombre et lugubre. Un déploiement massif d'effectifs militaires se préparait à réprimer toute opposition. Ce matin-là, à sept heures trente, des soldats en uniformes d'hiver se précipitaient vers le Drill Hall de la rue Craig, face à l'ancien terrain de manoeuvre, le Champ-de-Mars. Ils semblaient appréhender de sérieuses difficultés si l'on se fiait à la gravité de leurs expressions.

À neuf heures, les troupes furent passées en revue au Champ-de-Mars. C'était un rassemblement formidable. L'artillerie était représentée par le « Montreal Field Battery » et le « Montreal Garrison Artillery »; les ingénieurs par la compagnie des « English Engineers »; la cavalerie par les Hussards; l'infanterie par les « Victoria Rifles », le « Prince of Wales' Rifles » et le « Hochelaga Light Infantry ». Approximativement mille deux cents hommes furent mobilisés mais les évaluations des effectifs diffèrent. Chaque soldat d'infanterie se vit remettre vingt cartouches. À neuf heures quinze, l'armée quittait le Champ-de-Mars. Les hommes se dirigèrent vers le nord en empruntant la rue Saint-Laurent. Pendant ce temps, la police de Montréal était mobilisée. Une centaine de constables se réunirent à la Gare centrale dont soixante armés de fusils « Snider ». Ils se mirent également en route vers le nord.

La population était sur le qui-vive. Des rumeurs circulaient en ville: on prétendait que des hommes arrivaient des villages avoisinants et se ralliaient pour empêcher l'enterrement, et que des bandes de jeunes quittaient les Tanneries (aujourd'hui Saint-Henri) armés de mousquets et de revolvers.

Le personnage officiel chargé d'exécuter la décision du Conseil privé était alors le maire de Montréal, docteur William Hales Hingston (plus tard, Sir William). L'ironie du sort voulut qu'il fût l'un des laïcs catholiques les plus éminents, les plus dévots et soumis du diocèse. En sa qualité de maire de Montréal, cependant, il n'oubliait pas ses devoirs d'officier civil tenu de faire respecter la loi. C'était un homme de tact et de discrétion qui désirait faire appliquer le jugement du Conseil avec autant de finesse et le moins de provocation possible, compte tenu des circonstances. Il reçut un mandat de pouvoir de la part des maires d'Outremont et de la Côte-des-Neiges, car les événements de la journée se dérouleraient hors des limites de la ville. Bon cavalier, membre du Hunt Club de Montréal, il choisit de se déplacer à cheval, ce jour-là.

Le maire Hingston avait discrètement convenu de tenir l'armée en réserve. Il y ferait appel, si nécessaire, mais il éviterait de l'exhiber afin de ne pas mettre le feu aux poudres. Pendant que les militaires progressaient vers le nord jusqu'au Mile-End, il se rendit avec le corbillard et le détachement de policiers armés au cimetière du Mont-Royal. On retira le cercueil de Joseph Guibord de la voûte où, grâce à la courtoisie des Protestants, il reposait depuis son décès, en 1869.

Pendant que le corbillard faisait route vers la Côte-des-Neiges, le maire Hingston fit cavalier seul pour voir ce qui se passait au cimetière catholique. Il n'y décela aucun mouvement de résistance contre l'inhumation. Au lieu de cela, environ un millier de curieux patientaient en fumant et en bavardant. Aucun acte de défi ne semblait couver, si ce n'est quelques jeunes garçons qui faisaient mine de fermer les lourdes grilles de fer. Des détectives, assistés par des employés du cimetière, soulevèrent les grilles hors de leurs gonds et les firent pivoter sur le côté.

Le maire Hingston s'empressa de revenir vers l'armée. Il informa les officiers commandants qu'il semblait peu probable qu'on eût recours à leurs services. À moins de son appel à l'aide, il les enjoignit de s'arrêter sur place et d'attendre. Le maire partit rejoindre le cortège funèbre et pénétra dans le cimetière de la Côte-des-Neiges, en compagnie des amis de Guibord et de la police armée. Le défilé ne rencontra ni opposition, ni démonstration. Les forces de la police bordèrent la fosse. Le cercueil de Guibord, à l'intérieur d'une large boîte peinte en rouge, fut abaissé dans la fosse sous une triste bruine froide.

Il y eut un remous dans la foule. Une voiture approchait. À l'intérieur, on apercevait un prêtre et le détective Cinquemars. La portière s'ouvrit. Le révérend Père Benjamin-Victor Rousselot descendit. L'apparition soudaine du curé de Notre-Dame surprit. Les uns croyaient qu'il venait interdire l'enterrement; d'autres, que l'Église, revenant enfin sur sa décision, présiderait à une cérémonie religieuse quelconque sur la tombe de Guibord. Le curé expliqua qu'il n'était présent qu'à titre de fonctionnaire civil. Une fois s'être assuré auprès d'un membre de l'Institut que le cercueil était bien celui de Guibord, et que la fosse avait la profondeur réglementaire de quatre pieds, il tourna les talons et monta dans sa voiture qui repartit aussitôt.

Avant l'arrivée du cortège, des ouvriers s'étaient introduits au cimetière par une entrée de service avec des sacs de ciment Portland qu'ils avaient prestement mélangé en attendant la procession. Déjà, ils en avaient répandu une couche au fond de la fosse et dès que le cercueil y fut descendu, on coula encore du ciment par-dessus. Quand la moitié de la tombe fut recouverte, on jeta des morceaux de fer et de métal dans le ciment pour qu'ils durcissent ensemble en une masse dense et impénétrable.

Aucun discours ne fut prononcé pendant l'ensevelissement. Mais tandis qu'on remplissait la fosse de ciment, un imprimeur canadien-français s'avança: « Si personne ne veut prendre la parole alors je le ferai; il m'a enseigné mon métier, et j'aimerais faire le signe de la croix en son nom. » Il se signa et reprit sa place parmi la foule.

Quand la fosse fut à peu près comblée, on étendit une couche de terre bien tassée sur le béton armé. La police se mit en rangs et marcha vers la sortie, suivie du convoi. La foule se dispersa à l'exception d'une douzaine de badauds. Avisée de la fin des obsèques, l'armée passa les portes du cimetière en rangs et s'en retourna, au pas, à la ville.

L'Institut canadien adressa une dernière requête au maire Hingston. Afin de prévenir le viol « assuré » de la sépulture, il devait donner ordre « à une brigade de policiers de veiller sur les lieux, toute la nuit si possible ». Le maire avait reçu la même demande des autorités du cimetière. Le sergent Burke et cinq constables furent donc assignés à la vigile funèbre, cette nuit-là. Il n'y eut rien à signaler. Par la suite, l'Institut recouvrit le tombeau d'un immense bloc de pierre pour plus de sécurité.

L'absence de résistance physique à l'enterrement de Guibord, par ce lugubre jour de novembre 1875, n'était pas plus attribuable à la mobilisation militaire qu'au tact ingénieux du maire. On la devait à monseigneur Bourget qui avait trouvé là le moyen de sauvegarder la liberté de l'Église tout en évitant une confrontation directe avec les autorités civiles. Il avait adressé une lettre pastorale aux Catholiques du diocèse les avisant de ne pas s'opposer à l'inhumation. La terre bénie du cimetière ne devait pas être profanée par des effusions de sang. Mais il ne fallait pas croire qu'il s'inclinait devant « cette usurpation criminelle » de son autorité épiscopale par l'Institut et les tribunaux. En tant qu'Évêque de Montréal, il disposait du plein pouvoir... de bénir ou de maudire... » Il désacraliserait cette partie du cimetière où reposerait Joseph Guibord. Ce ne serait plus qu'« un endroit profane ». En posant ce geste, il ne faisait qu'exercer son indisputable pouvoir « de livrer à Satan ceux qui n'écoutent pas l'Église ». Les fidèles du diocèse, par conséquent, n'auraient plus à s'indigner que le cimetière, vénéré à juste titre comme un lieu saint, « soit profané par l'inhumation d'un homme mort en disgrâce et sous l'anathème de l'Église. » Cet homme reposerait en terre maudite.

Le dimanche suivant les funérailles, monseigneur Bourget émit un autre message pastoral. Il y félicitait ses ouailles d'avoir permis la conclusion de l'affaire Guibord sans répandre le sang. Il ajoutait que quiconque visiterait désormais le cimetière de la Côte-des-Neiges, ne saurait croiser la tombe de Joseph Guibord sans frémir : « Ci-gît, se dirait-il dans le secret de son âme, le corps du célèbre Joseph Guibord, mort en rébellion contre le Père commun des Catholiques, sous l'anathème de l'Église ; qui ne put franchir les portes de ce lieu sacré, sans l'escorte d'hommes armés comme s'il combattait les ennemis du pays ; pour qui le prêtre, tenu d'être présent, ne put procéder à aucune cérémonie religieuse; ni prononcer de prière pour le repos de son âme; pas même le *requiescat in pace*; en un mot, qui ne put l'asperger d'une seule goutte d'eau bénite dont la vertu est de modérer et d'éteindre les flammes de ce feu terrible qui purifie les âmes dans l'autre monde. »

C'est ainsi que ce coin de terre, jadis béni, fut condamné. La dépouille de l'imprimeur Joseph Guibord, y repose encore à ce jour, dans son étrange sarcophage de béton armé.

TABLE DES MATIÈRES

ACHEVÉ D'IMPRIMER
EN NOVEMBRE 1981
SUR LES PRESSES DE
PAYETTE & SIMMS INC.
À SAINT-LAMBERT, P.Q.